JN117386

ロボットをソーシャル化する

「人新世の人文学」10の論点

Humanities in Anthropocene

編著 松浦和也

学芸みらい社

誰も見通せない未来への指南書――推薦文に代えて

多くの技術革新は、市民社会生活そのものを組み換えてきた。

現在のロボットやＡＩによって、どのような変化が起きるのだろうか。たとえば子どもたちがＡＩ搭載ロボットを玩具のようにして遊ぶときに、教育効果はどのようなものになるのか。あるいはこのロボットが、子どもの友達に重度の怪我を負わせたとき、いったい何が起きるのか。

市民社会生活の細部で生じ得る変化に対して、疑問がよぎり、少し立ち留まって考えておきたいという思いにも駆られるだろう。また、労働そのものは将来、多様化するのか、平板化するのか、人間の能力は頭打ちになるのか、それともさらに創造的になるのか――。

誰にも見通せない予測しにくい未来について、ともかくも何か手掛かりを得たいと考えるとき、本書は多くの視点、そしてさまざまな選択肢を提供してくれるだろう。

河本英夫（東洋大学文学部哲学科教授）

目次

61

第3章　恐怖の在処ありか

人工知能はなぜ恐れられるのか
――近代社会原理への脅威という観点から

伊多波宗周

85

第4章　脱過労社会へ

知能社会における労働と所有

宇佐美 誠

107

第5章　哲学の忘却

人工知能における心・意識・所有

山蔦真之

第6章　共存？

われわれは奴隷を作るのか

松浦和也

第7章　自律機械と日本思想

仏教と武士道における所有について

岡田大助

第8章　責任概念の変貌

自律機械の責任概念への経済分析を用いたアプローチ

荒井弘毅

はじめに――「技術」と「市民」をつなぐために

コンピュータによる推論と検索が可能になったことで1950年代に生じた第1次人工知能ブーム、知識ベースのシステム構築が可能になったことで1980年代に生じた第2次人工知能ブームに続く、第3次人工知能ブームは、ビッグデータと機械学習によって特色づけられるが、2021年の現状を見る限りようやく落ち着いてきた。

このブームの中でロボットやAIへの期待論や脅威論も再燃した。だが、ブームが終局に近づくに伴い、期待論も脅威論も下火になったようにみえる。ただし、このせめぎ合いの中で、期待論と脅威論のどちらかが際立って優勢になることはなかった。むしろ、両立場はかみ合うこともなければ、歩み寄ることすらもほとんどなかったようにすら感じられる。

両立場が歩み寄れなかったのはなぜだろうか。

その要因は、第一に、議論の出発点をロボットやAIの技術的進歩へのあやふやな信念に据えていることにありそうである。「ビッグデータ」「深層機械学習」といった技術的タームがよく理解されないまま流通し、比較的古くからある「ムーアの法則」に加え、人口に膾炙した「シンギュラリティ」といった宣伝文句が期待と恐怖を後押しした。そして、このブームの最中に、新たな技術による開発成果がマスメディアを通じて紹介された。Google社のAlpha GOが世界チャンピオンを破ったことはその象徴である。その結果、同様の成果を別領域でも応用することは容易であり、社会実装することも容易だという思いが多くの人に生じたようである。「2050年までに消失する仕事」といった社会不安を煽る発表は、その思いから生まれたもののひとつであろう。

この思いに対し、技術の延長に予想される到達点は隠蔽されただけではなく、社会実装のための人的コスト、技術コスト、資源コストといった経済的観点もほとんど重視されなかった。もちろん、未来に関する技術予測は極めて難しい。しかし、その予測を支える根拠は薄弱であり、その薄弱な根拠に基づいた予測を基盤に据えた議論は、どこか夢物語を語るような様相を見せたように思われる。

第二の要因は、もっと深いところにありそうである。

期待論にせよ、脅威論にせよ、根本的にはそれぞれの立場の人間の実存の問題を抱え込んでいる。たとえば、技術を研究開発する側の人々の多くは期待論を推進する立場だと思われるが、あえて過激に言えば、彼らは自身が広告塔であるかのように振る舞わざるを得ない。彼らは、社会的にインパクトがあるものを実際に開発するだけではなく、インパクトがある夢や目標も語らなければならない。研究開発に必要な多くの資本、人材、時間を確保するためには、それを語る計画書を書き、その計画がどのようにインパクトがあり、意義あるものかをアピールせねばならない。

ただし、その計画書には、その計画が完成したときに併発すると予測される負の要素を書き込んではならない。もし、負の要素に気付いたとしても、あえて無知を装わなければならない。そうしないと、計画書の魅力は衰退し、研究開発を続けることはできなくなる。このことは、研究開発する側の人間は自身の実存を失うことと同義である。

そして、このような態度に基づいて描かれたイメージに企業も行政も則らざるを得ない。社会不安を煽るような負の要素を、その研究開発を後押しする企業も行政も積極的に語ることは難しい。それを語ってしまうと、一方では企業の魅力の低減を招き、他方では行政政策の不条理あるいは失敗へと繋がるからである。

しかし、研究開発からは縁遠い市民にとって、その幸せなイメージは直ちに共有できるものではなかろう。たとえば、第三次人工知能ブームが喚起する雇用問題は直ちに19世紀のラッダイト運動を想起させる。この歴史的事件の今日的な前触れとして人工知能ブームを捉えたならば、そこからは脅威論が発生することになる。

このタイプの脅威論に対し、失業の恐怖を軽減しようとして、新たな技術によって新たな雇用が創出されると主張されることがある。もちろん、マクロな視点から見ればそうかもしれない。しかし、この主張はその恐怖を持った人々にとって説得力を持たないだろう。この恐怖は、人間の生物的な生を脅かすのみならず、その人間が情熱をかけて獲得した技能が無価値になるという、人生の大半の意義を脅かすことに由来するからである。自身の積み上げてきた経験と技能、そして生命をあっさりと捨て去ることができる境地に、われわれの大部分は達していない。

第三の要因は、これまでのＳＦを中心に現れるＡＩやロボットの表象である。もちろん、ＳＦは多くの若き工学者のモチベーションの源となってきたし、これからもそうかもしれない。しかし、これらの表象を現実社会に接続させようとすると、ひとつのジレンマを産む。

一部の専門家はロボットやＡＩに人間らしい振る舞いをさせることに躍起になっている。そして研究成果として、人間らしく振る舞うロボットを展示し、ＳＦが語る未来技術に現実がいかに近づいているかを喧伝する。また、別の専門家は、人間の能力をはるかに超えたＡＩを公開する。よく知られた例で言えば、チェスや将棋のチャンピオンに勝利させたり、ピカソ風の画像を出力させたりする。

しかしながら、市井の人間が持つＡＩやロボットの表象は必ずしも希望に満ちたものではない。あるＳＦ的物語にＡＩやロボットを登場させたのであれば、それらには物語を進める役目が期待される。そして、その役目を概して言えば、他の登場人物を不幸にする役割、あるいはＡＩやロボット自身が不幸になるという役割である。

『鉄腕アトム』、『ドラえもん』といった物語を想起しよう。物語全体を見れば、周囲の人間が不幸になる局面や、ロボット自身が不幸になる局面はなかったか。アトムは、ロボットの輝かしい未来のイメージとして用いられることがあるが、その誕生の経緯を思い出せば、創造主である天馬博士にサーカスに売られた捨て子であった。逆に、もし、ＡＩやロボットが何者も不幸にしないのであれば、それらが物語に登場する積極的意味はない。つまり、物語において、ＡＩやロボットは道徳的問題、社会的問題、環境問題を解決するのではなく、むしろその問題を発生させるように描かれねばならないのである。

ここにジレンマがある。たとえ研究開発する側の人間が人類全体の幸福を願って技術をＳＦに近づけたとしても、ＳＦに親しんだ市民はその技術の先に、すでに物語られた不幸の発生を想像することになる。

とりあえず、第３次人工知能ブームにおける期待論と脅威論の対立はそれほど見えなくなった。しかしながら、これから先、仮に第４次人工知能ブームが生じたとき、このような対立は解消されているだろうか。

次世代の技術は想像の範疇を超えるとはいえ、おそらく、ＡＩやロボットに関する期待論と脅威論は再び発火し、かみ合うことのない論争が展開されるだろう。

＊

この炎上の前にわれわれに何かできることはないか。分かり合えなさと断絶を挟んだ両立場の溝を少しでも埋め、幸せな社会を少しでも多くの人が共有し得るようにはできないだろうか。

「ロボットをソーシャル化する」と題した本書は、その溝を埋める試みの一つである。今このときに技術者と市民の間の軋轢を少しでも埋めなければ、ロボットやＡＩを社会の中で有益に、少なくとも害悪にならないように活用することはできないだろう。なぜなら、ロボットやＡＩに触れることになるのは、社会の中で生きる市民だからである。

もちろん、この種の試みは、ある意味ではすでに行われている。たとえば、ＡＩ倫理やロボット倫理と呼ばれる領域は、この試みの一種であろう。これに対し、本書は議論の場を倫理の専門家から市民により近づけるべく、以下の三つの方針をとった。

第一に、現状の技術状況に定位して語ることである。せいぜい論理的可能性に過ぎない技術に関わる議論をするとき、どうしてもその基盤となる技術があやふやなものとなる。だが、議論を生産的で現実感のあるものとするためには、まずは現状の技術状況の理解が不可欠であろう。この理由によって、第３次人工知能ブームを起こしたＡＩ技術が進展したとしても、その単純な延長線上には、人々が夢見るＡＩやロボットを製作することは不可能であると主張する「ＡＩには何ができないか」を本書第1章に配した。

この方針は本書の賞味期限を限定するものになるかもしれない。それでもこの２０２１年に必要なことは、あやふやな現状理解に基づく遠い未来に想いを馳せることではなく、これからありえそうな技術予測に基づく5年10年先の将来像に関する検討である。

第二に、思想史的観点、社会科学的観点、教育学的観点、といった多角的な見解からの語りを含めることである。今後の技術と社会の変化を予言できる人は誰もいないが、近いうちにわれわれはこの社会を大きく変える決断、たとえばＡＩに権利を付与する、といった決断をしなければならないかもしれない。だが、その決断に参与できるのは、技術者や経営者といった一部の人間だけであってもよいのだろうか。もし、その決断による利益も害悪も引き受けるのは、最終的には社会に住む市民であるならば、その決断は市民に納得できるものであるべきだろう。さらに、その決断には、ある文化の下で教育を受け、ある社会の中で活動し、ある歴史の延長線上に生きるわれわれが持つ視点が十分に考慮されなければならない。

第三に、本書は「ものを所有する」という事態に着目している。もしかすると、本書は多領域の専門家による寄せ集めの論考集であるように感じる人もいるであろう。しかしながら、執筆者間で共有している問いがある。それは、「人間は他の人間を所有できないとしても、人間はロボットやＡＩを所有することはできるか」「人間はロボットやＡＩが創ったものを所有することができるのか」「ロボットやＡＩはものを所有する主体となるか」「逆にロボットやＡＩが人間を所有することがあり得るか」といった、所有概念に関わる問いである。この問いを設定した目的は、この問いを通じて、これからの社会の中で主体となるのはどのような存在か、たとえば自由意志を持ち、それに基づく行為の判断を行うような近代的人間観が想定する「大人」であり続けるべきなのか、それとも人工物にも主体性を認めるべきなのかという、より大きく、より慎重に決断しなければならない問いのヒントを得るためである。

本書は、このような問いに、誰もが納得するような確固とした解答を与えるものではない。しかし、本書の目的は、収録した各論をたたき台として、多くの人々が今後の世界のあり方に関する議論に参与する場を形成することにある。そして、その形成において中心的な役割を果たすのは人文学であると編者は確信している。

本書が、われわれが採り得る選択肢の幅を広げ、より適切な決断へ向かう土台となるならば、編者としては望外の喜びである。

松浦和也

第1章

汝自身とＡＩを知れ

ＡＩにはなにができないか

西野順二
松浦和也

1. はじめに

たとえば、ロボットが人の介在なしに工業製品や芸術作品、文章やプログラムなどを自動的に作り始めたとき、その自動製作物は誰のものだろうか。

もちろん、この問いに対しては、さまざまなステークホルダーがさまざまな応答を返し得る。[1] しかし、仮に、そのロボットのアルゴリズムの製作者に属すると法律に定めたとしても、なぜアルゴリズムの製作者がそのような特権を有するのかは説明を要する。また、その自動製作物に関わるステークホルダーすべて、あるいはその大部分に所有権を分配したとしても、第一に、そのことによってその自動製作物を社会で用いるための管理が煩雑となり、結果として利便性がなくなるだろう。第二に、どこからどこまでを分配の対象とするのかは、複雑な議論と政治的決断を必要とするだろう。たとえば、アルゴリズムの製作者に学習データを提供した一般人が権利の分配に与れないのであれば、その根拠は何だろうか。さらに一歩進んで、ロボットが権利の分配に与れないのであれば、その根拠は何だろうか。

また、ロボットの動作が市民生活に損害を与えたとき、その責任は誰に帰すべきか、という問題も同様である。たとえば、そのロボットの製作者が責任を負う、と法律に定めることも可能である。しかし、そもそも誰がそのロボットの製作者なのか、と問いが直ちに返ってくる。ロボットを作り上げるためには、さまざまな人の手が関与しているであろうし、仮にロボットが新たなロボットを設計段階から作り上げるという事態が到来したならば、さらにこの問いは複雑なものとなる。それとは別に、関係者に責任を分配すると法律に定めたとしても、どこからどこまでがその関係者かという問いに応答しなければならないし、それに適切に応答するためには、「関係する」という事態がどういうことなのかを判断しなければならないだろう(2)。

このように見ると、ロボットや人工知能（以下、ＡＩ）を社会に導入することは一筋縄ではいかない。単に法律や制度を整えるのみならず、所有するとはいかなることか、所有する主体は誰であり、なぜその主体に制限するべきなのか、といった哲学的かつ学際的な検討が必要となる。

ただし、目下の問題となりそうな製品に関する検討は、ロボットや人工知能にかかる現状の技術の把握に依存する。そして、今この時点で何を論ずるべきか、言い換えれば、何を論ずることが生産的であり、何を論ずることは杞憂、あるいは可能性に過ぎないかを分別するには、現状のロボットやＡＩがどのような発想に基づいて研究されているのか、その延長線上にはどのようなことがロボットやＡＩに可能となりそうか、そしてどのようなことは現状の技術の延長線上には不可能であるのか、といった技術的予測が求められる。

本章が目指すのは、この見通しを少しでもよくするために、２０２０年現在のＡＩの技術を題材に、その理念と限界を明らかにすることにある。そこで、本章は、２０１０年頃からの「ＡＩブーム」で主たる働きを演じてきた深層学習と強化学習を中心に、インターネットやクラウド、ハイパフォーマンスコンピューティングなど昨今のＩｏＴを支える技術に加え、広い範囲でのＡＩ技術を解説することによって、その前提や限界を明らかにすることを目指している。

2. ＡＩに関する期待と現実

一線で研究開発を続ける工学者はともかく、一般市民がもつロボットやＡＩの理解はＳＦやデマ、あるいは一部の宣伝に惑わされているように思われる。また、実のところ工学系の学生であっても、専門分野が異なってしまえば、ロボットやＡＩの理解は現実に即していないことが多いように感じられる。[3] しかしながら、残念なことに、現実のＡＩ技術の現状は、彼らの理解には、はるかに及ばない。とくに、多くの人が抱くであろう、「人のような」ＡＩについては、いまだに実現する見込みすら立たない。そもそも、技術的に本当に可能なものであるのかどうか、ということすら疑わしい。

多くの人が「人のような」と形容したがるＡＩは、人のように考え、人のように柔軟に対応し、人のように発想し、人のように感情をもつ。とくに、ユーザーの気持ちや感情を慮って柔軟に行動し、忖度をするようなＡＩに対する期待は強い。コミュニケーションロボットの開発に熱を入れる工学者がいるのも、そのような社会からの期待に応えるためであろう。

では、「人のような」を実現するためには、どのようにすればよいだろうか。一つの戦略としては、人間の思考、他者の認識、感情といったプロセスや状態が依っている生理学的メカニズムを計算機によって模倣することである。そして、適切なセンサーを入力として、内部処理プロセスとしてそのアルゴリズムを搭載した計算機をつなげ、アウトプットさせれば、「人のような」動作をするロボットやＡＩが作れることになる。

しかしながら、この戦略は実のところ第一歩から躓いている。というのは、２０２０年現在ではこれらの人間の生理学的メカニズムについては全く分かっていないからである。たしかに、たとえば何らかの感情（たとえば喜び）を人間が感じたとき、脳部位のある特定の部分が活性化することは分かっており、脳細胞の分子構造やシナプス結合の構造は分かってはいる。しかし、そのときの脳細胞レベルの状態、ましてや分子レベルの状態はほとんど分からないし、その状態からどのようにその感情が創発するのかについても哲学的議論の段階である。(4)

２・１　シンギュラリティと人間の能力

第３次人工知能ブームでは、ＡＩと同時にシンギュラリティという概念が広く案じられるようになった。この概念がもてはやされたのは、ゲームの囲碁や将棋、チェスなどのゲームでは、世界チャンピオンであってももはや計算機に歯が立たないようになったという事実と密接に関わっているように思われる。

チェスは専用コンピュータがＩＢＭによって作られた。その中にはチェスの戦況が、この先どのような展開があり得るかそのパターンを数億単位で生成し、評価するハードウェアが組み込まれていた。それはチェス盤を写した形の専用回路で構成されていた。(5)その成功は、１９９７年に世界チャンピオンを破った、という事実が証明している。また、同時期までにバックギャモンや、オセロも計算機に人間はもはや勝てなくなっている。

　将棋には少々手こずった。将棋は盤面の状態の個数が10の１００乗を超えるため、計算機で最適な手を繰り出すのが難しいと考えられていたからである。ただし、２００５年にいわゆる機械学習を用いるBonanzaがプロに匹敵する強さとなり、２０１０年頃までに名人クラスの強さに達した。

　囲碁にはさらに骨を折った。囲碁は盤面の状態数が10の２００乗と言われ、将棋よりもさらに計算量が多いからである。それゆえ、長らく囲碁プログラムは初心者程度のまま、あまり進化してこなかった。しかしながら、２０００年以降に二つのブレークスルーがあった。一つめは２００５年の、後述のモンテカルロ木探索を使った囲碁ＡＩである。このＡＩはアマチュア高段レベルとなって研究者を驚かせた。二つめは、２０１５年のAlphaGoである。深層学習を用いた手法でトッププロの実力に達し、２０１６年には元世界チャンピオンを破ったことは、記憶に新しいだろう。

　このような成果を支える人工知能技術は、すでに計算機に人間よりも高い能力を発揮させることに成功している。さらに、日常生活で使われるパソコンやゲーム機、スマートホンは、計算速度にしても、記憶容量にしても、人間の能力と比較すればはるかに高性能となっている。もはや、人間の能力と機械の能力の比較をすること自体が大きな意味を持たなくなってきている。

　そして囲碁ＡＩが人間より強くなった２０１５年頃から、「シンギュラリティ」（singularity）の語が一世を風靡した。シンギュラリティという語をＡＩの技術革新の中に位置づけたのは、特にカーツワイル『ポスト・ヒューマン誕生――コンピュータが人類の知性を超えるとき』である。この概念は、技術の発展が技術の発展それ自身によって自乗的に加速し、やがて人間の手を離れ、勝手に進化していくようになる時点のことを指す。当初は理論的な（あるいは宣伝効果のための）意味で語られていたこの概念は、広まるにつれて、ＡＩが人間を超え、人間の知性を超えるＡＩがいずれ暴走し、人間の生活や生命を害するようになるのではないかという危惧を再発させた。

このような危惧は、これまでのＳＦ作品で繰り返し扱われてきたテーマに由来するように思われる。たしかに、すでに機械は人間を凌駕しているし、一部のＡＩにある意味では人間はすでに支配されていると言ってもいいだろう。カーナビが示す道筋に従うということは、道路検索においてわれわれよりも優れたカーナビが、道順の選択という人間の判断を支配していると見ることができる。

それでも、現状の技術の延長線上に、ＳＦ作品に出てくるような、ＡＩが人間を支配するディストピアが実現するようには筆者には思えない。また、仮にシンギュラリティが将来的に起きるとしても、それはカーツワイルが示したような形では生じようがない。彼は、人間の脳構造を計算機にアップロードする時期がくることを予言し、このアップロードによって人間の能力を計算機が模倣し、その処理速度によって人間の能力を凌駕することになると述べているが(6)、この見通しは、躓くことが明らかである戦略に則っているからである。

3. 計算機の「学習」

さまざまな技術の集積としてＡＩの応用が進められているが、芯となるのは深層学習と強化学習である。この技術の先にはどのような発展があり得るだろうか。この二つの技術の特性を概観することを通じて、

2020年現在のAI技術の現状とその限界を、筆者が見通している限りで論ずることにしよう。

3・1　深層学習

2015年頃から2020年まで続いてきたAIブームの発端は深層学習技術の成功にある。深層学習、あるいはディープラーニングは2012年に画像認識に応用され、それまでの研究から大幅に認識精度を向上できたことで注目された。[7]これと同じタイプの技術を囲碁に転用することで到達した成果は上述のとおりである。また、自動運転車の自動車カメラも同様の技術による。このカメラは、画像データから目的とする物体を探したり、別の物体と区別したりすることができる。

このような深層学習は、多層ニューラルネットワークというシステムと、そのシステムにデータを与える「学習」の二段階から成る。順に確認していこう。

ニューラルネットワークは、数多く与えられたデータから学習ができるシステムである。このシステムは十分に学習したあと、既存のデータと同じ入力に対し、適切な出力を計算によって出力する。このときの学習データは、あるシステムの入力とそれに対応する出力の例を大量に集めたもので、そのデータ数は数千から数百万に上る。この学習を通じることにより、簡単な数式であらわすことが難しい、複雑で非線形的な入力に関しても、計算機は適切に出力を返すことができる。たとえば、人間が人の顔を見ただけで性別を判断できるように、適切に学習した計算機は画像に映っている人間の性別を判断できる。多層ニューラルネットワークは、こうした非線形で複雑な数値の関係を自動的に高精度で覚える仕組みをもっている。

このネットワークを支える単位の一つがニューロンである。ニューロンは動物の神経細胞の働きを計算機上で再現するシステムである。情報をニューロンに入力すると、ニューロンは出力すべき値を計算する。計算機の中では、計算すべきニューロンの数だけのメモリを用意して、それぞれの状態を順々にみて伝播がどうなるかを計算し、出力を計算する。このニューロンの性質を二つ指摘しておこう。第一に、ニューロンは神経細胞にならった構造で作られているが、実際の脳の中での処理とは原理的に異なっている。実際の神経細胞の構造に比べれば、ニューロンは格段にシンプルである。第二に、ニューロンとその結合の数を増やせば、その分高精度な出力が可能であるが、計算時間も増えることになる。

さて、一つのニューロンは、他の複数のニューロンからの信号を受け取り、その合計に応じて出力信号を発する。このとき、このニューロンは弱い入力には反応せず、強い入力にはそれに応じた出力を出す。この作用をニューロンの「発火」という。発火した出力信号は、いくつかに分岐し、別の複数のニューロンに接続する。この接続の強さを調整することで、入出力のバリエーションを操ることができる。この接続の強さを「重み」という。この重みは、小規模なニューラルネットワークで数千個、大規模なものでは数百万個にも上る。また、ニューロンが受信した信号から、どのような信号を出力するかは、「活性化関数」で決められる。活性化関数は、ニューロンがいつ発火するか、そのときにどのくらいの出力を出すかを決める関数である。

ニューラルネットが提案された初期は計算の簡単な階段型の関数が使われ、その後多層化するときには、学習をうまく進めるために「シグモイド関数」という階段型を滑らかに繋げたものが使われるようになった。さらに、最近では「ReLU関数」が使われている。ReLU関数は「ランプ関数」ともいい、入力が小さいときは0を出力し、入力がある値を超えた以降は入力に比例した値を青天井で出力する関数である。このReLU関数は多層ニューラルネットの学習を阻害する勾配消失問題を解決するために導入された。

そして、このニューラルネットを、入力層、数段の中間層、出力層といったように多層化したものが、いわゆる多層ニューラルネットである。それぞれの層には複数のニューロンが含まれる。ただし、同じ層の中のニューロンは直接接続してはおらず、入力側にあるニューロンと次の層にあるニューロンへと一方的に繋がっている。

概して、この層の数と、一段の層のなかにあるニューロンの数が増えるほど、そのニューラルネットワークの性能が上がる。入力層は入力の次元の数だけある。たとえば画像であればその画素の数、囲碁であれば盤面の交点の数などで、数百ほどになる。(8) 出力も同様である。一方、中間の層はさまざまである。ここで、500ニューロンからなる二つの中間層があれば、その二層間の繋がりは500×500＝250,000の接続があることになる。五つの中間層であれば接続の総数は、4×500^2、つまり約100万の接続があることになる。この25万、100万の接続の一つひとつにニューロン間の接続の重みが設定されることで、はじめてニューラルネット全体が動作する。

しかし、このように100万件以上になる大量の重みを、設計者が人手で設定することは不可能である。深層学習の要は、数万から、数億に近い個数の重みの値の調整を、自動的に学習させることにある。この重みの自動設定こそ、ニューラルネットにおける機械学習である。

この値をデータから学習させる手法が誤差逆伝播法というアルゴリズムである。誤差逆伝播法は、出力値の誤差をもとに各ニューロンの重みを調整する。すなわち、ある出力ニューロンの誤差があったとき、そのニューロンに接続している前の層のニューロンをたどりながら、出力誤差を伝播し、誤差を縮小するように各ニューロンの重みを調整していく。多層ニューラルネットそのものはどんな重みの設定をしても、ある入力に対して出力の計算ができるので、全体に適当な値を設定した状態からスタートすればよい。

ニューラルネットの学習には誤差を計算するための詳細なデータが必要である。こうしたきめ細かい情報による学習を「教師あり学習」、その際のデータを「教師データ」と呼ぶ。理想的な教師データは、想定される事態の全体をカバーし、かつ重要な部分について十分な量がなければならない。

さて、深層学習は数理最適化の一種である。数万あるニューロンの重みをある値に設定し、ある入力を加えると、出力が決まり、期待される出力との誤差も決まる。ここで、おなじ入力のまま、重みの値を変化させると、出力も変わり、それに即して誤差も変化する。こうして重みを変化させるなかで、得られた出力と期待される出力との誤差が一番小さくなる重みの組み合わせを見つければよい。この作業は最適化と呼ばれる。データが複数ある場合には、すべてのデータを入力し、それぞれの誤差の合計をとって、この誤差の合計値がもっとも小さくなる重みを発見する。先に説明した誤差逆伝播法は、大きな誤差のもととなる重みを優先的に修正するため、効率よく誤差を極小化し、適切な出力をもたらす重みを与える。

とはいえ、誤差逆伝播法に則したとしても、最善の出力をもたらす最善の重みの値を得られるわけではない。ニューロンの重みの変更に対して、誤差の変化をグラフにすれば、大抵の場合には波打った形になる。このような関係を多峰性関数という。もちろん、波打っているそれぞれの波の最小点は、その周辺では最善である。しかし、

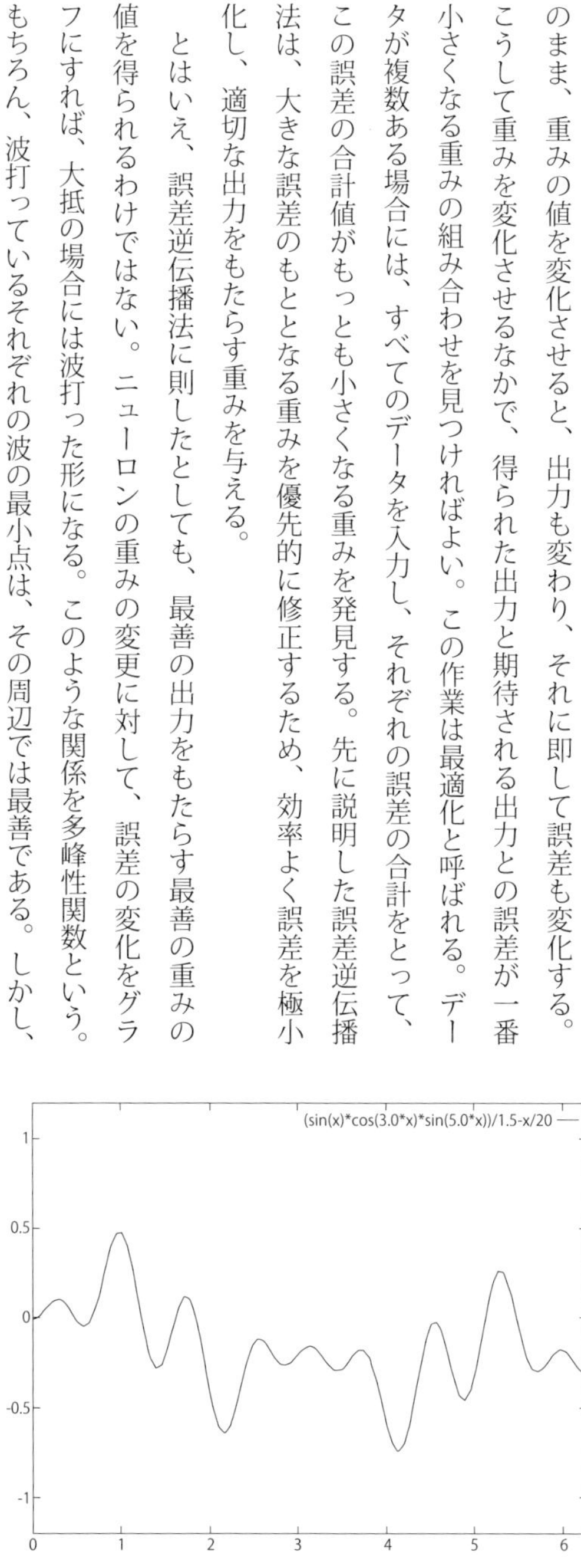

図１：多峰性関数の例

その波の向こう側にもっと誤差の小さい点がある可能性、つまりより適切な重みの値がある可能性が残される。そのため、学習の中であらゆる可能性を検証し、最善の重みの値を獲得するよりも前に、近隣の中では誤差の少ない重みを獲得したことで満足して深層学習が止まってしまうことがある。このような状況を「局所最適」と言う。

この局所最適で学習が止まってしまったニューラルネットを実際に使用したならば、重大な事故につながるおそれがある。この特性は、深層学習の避けざる欠陥の一つだと言えるだろう。

3・2　強化学習

もう一つの芯となる重要なＡＩ技術は、強化学習である。強化学習は、細かな手順ではなく、目的の成功報酬だけを手がかりに方法を獲得させる学習のさせ方である。たとえば、動物に芸をさせるとき、手順を教えることは難しい。その代わりに、一連の行動の結果に対し、報酬すなわちエサを与えることでその動物がその行動を適切なものとして学習するように人間は促している。この動物の学習のやり方をロボットの行動やゲームをプレイするプログラムなどで人工的に再現することが強化学習の基本的アイデアである。

ＡＩにおける強化学習の概念的土台は「状態」と「状態遷移」で事態を捉えることにある。ロボットの行動を決めるＡＩやゲームをするＡＩは、概して、この場面ではこう動き、こちらの場面ではああ動くというように、場面に応じた行動を出力するプログラムである。ただし、その出力としての行動の結果、ロボットの位置や盤面の様子が変化する。こうした様子を「状態」と呼び、行動の結果その進展につれた変化を「状態遷移」と呼ぶ。

「状態」はできる行動の数や、打てる手の数だけバリエーションが広がってゆく。たとえばマルバツゲームとも呼ばれる三目並べでは、九つのマス目に○と×を交互に書き入れて進んでいく。このとき、最初の「状態」はすべてのマス目が空白であることである。また、先手の○がどこかに書き入れれば、「状態遷移」が発生する。書き入れる場所は九つあるので、「状態」も九つに分岐する。次に後手が×を書き入れることで、盤面に○と×が一つずつある「状態」へと遷移する。ここまでで先手の手の可能性が9通り、後手には8通りあるのであわせて72種類の「状態」のどれかとなる。次の先手は7通りの可能性があるのでここまでで○×○と書き入れた状態は５０４種類になる。途中で勝敗が決まることもあるが、最後まで九つのマス目を○×○×、と埋める方法は３６２８８０通りとなる。(9) ここで、「状態」にはゴールが設定されることがある。三目並べのようなゲームであれば、勝ちか負けが決定した「状態」がゴールである。そして、ゴールの「状態」に応じて「報酬」が与えられる。三目並べであれば、ＡＩ側が勝利すれば高い評価がＡＩに与えられる。ゴールのない問題であっても、途中で「報酬」が与えられることもある。

強化学習の枠組みそのものはさまざまな実現法がある。現在多く使われているのは、状態価値関数を学習するもの、行動価値関数を学習するもの、行動を決定する方策関数を学習するものが挙げられる。ここでは前二者について、順にみていこう。

状態価値関数とは、その「状態」から行動を始めたとき、将来に獲得できる「報酬」を計算する関数である。たとえば、その課題にゴールが設定されていれば、ゴールに近いほど価値が高いと設定される。この状態価値関数が手に入れば、それを逆算することで次の行動を決定できる。現在の状態で可能な行動の候補に対して、それぞれの行動のあとの「状態」を計算した結果を比較して、その中で価値が最も高い行動をとればよい。

行動価値関数は、将来に獲得できる「報酬」を計算する関数であるという点では、状態価値関数と同様である。ただし、行動価値関数は各行動の価値を計算する点が異なる。たとえばゴルフのショットのように、あるクラブと方向を決めて行動したとしても次の「状態」は必ずしも決まらない。このようなときには状態価値関数から行動を決めることは難しく、行動価値関数から行動を決める方が有効である。このため実世界で動作しているロボットには行動価値関数が使われることが多い。

行動価値関数や状態価値関数を学習させるとき、設計者が「状態」をいくつかに切り分けて名前をつけ、それぞれの「状態」の関数値を表にまとめていく。このように状態を切り分けることを離散化という。たとえば囲碁将棋などゲームでは、もともと状態が離散している。ゴルフのボールの状態(位置)は連続的に変化する。離散化した状態に対する行動価値関数は、Q値とも呼ばれ、表(Q-Table)の形でデータ保管と利用がおこなわれる(三目並べのQ-Tableの一部を図2に示す)。ある盤面状態で、次の×の一手が行動であり、この場面からでは１００点の手以外は次に負けてしまうことから0点となる。こうした先読みの情報をも統合した値がQ値である。

また、これらの価値関数をＡＩが学習する手法もさまざまに提案されている。ある「状態」の関数の値は、ここから「状態遷移」したあとに明らかになる「報酬」から決まるが、将来の「状態遷移」が一つに収束

状態	行動	価値
…		
 ○○× 　×○	×　　 ○○× 　×○	100
 ○○× 　×○	 ○○× ××○	0
 ○○× 　×○	×　 ○○× 　×○	0
…		
…		
…		
…		

図2：Q-Tableの例

することは希であり、むしろ「状態」のバリエーションが広がっていく可能性がある。このため、モンテカルロ法が有効な手段となる。モンテカルロ法では、乱数が混入したゲームシミュレーションをＡＩは数多く試行する。そして、その中の「状態」を平均し、そこから報酬の期待平均を査定し、価値関数を更新する。

3・3 深層強化学習

単なる強化学習では、ＡＩは、離散的な「状態」、行動、その価値を表で描き、この表を埋めることで状態価値関数または行動価値関数の学習をおこなう。ただし、「状態」が多くなると計算機の内部では保持しきれないという問題が発生する。

ディープＱ学習（ＤＱＮ）、あるいは深層強化学習とは、googleが開発した深層学習と強化学習を組み合わせた学習の手法である。この手法はAlphaZeroをはじめとした、囲碁やチェス、将棋などの自己対戦をおこないながら強くなるシステムで用いられたことでも有名である。この手法を用いれば、古典的なコンピュータゲーム、たとえばテニスやパックマンのような反射神経を必要とするゲームであっても、人間の知識や調整に依存せずに適切な操作をＡＩが学習し続ける。すなわち、数万回あるいは数億回の多数のサンプル試合の勝敗を報酬とし、この報酬を元にサンプルに出現した状態と行動の組みに価値を与えて、多層ニューラルネットの入出力として、計算機に学習をおこなわせる。

深層強化学習は、単なる強化学習と異なり、行動価値関数を表の形でもつのではなく、多層ニューラルネットで表現することにある。入力に状態と行動の組みを取り、ニューラルネットの出力はその行動の行動価値関数の値である。複雑なゲームは状態と行動を多数もち、行動価値関数は容易に表現できない複雑なものとなるので、ニューラルネットで計算機に学習させるのである。

3・4　AIとその周辺技術

とは言え、深層強化学習を実行するためのリソースはやはり莫大なものとなる。現在のＡＩ技術を支えているのは、第一に、大規模なデータと、第二に、それを処理する計算速度である。

大規模なデータは２０００年頃までは容易に手に入らないものであったが、その後はインターネットを通じて獲得できるようになった。たとえば、将棋プログラムの機械学習の扉を開いたBonanzaが強くなったのは、数万の将棋の棋譜を学習したことによる。この数万の棋譜を収集するのに役立ったのはインターネット上に設置されたゲームサーバである。24時間いつでもそこに接続すれば誰かと将棋を打つことができるオンラインの対戦では、棋譜も自動的に保存される。Bonanzaは、収集されたデータによって人の評価を学習し、結果としてプロに匹敵する将棋プログラムへと成長した。言語処理も同様である。たとえば、機械翻訳は、その言語データをオンライン上のｗｅｂデータから収集し、学習させることによって成り立っている。

他方、計算速度の向上は進化した計算機とＧＰＵ、そしてネットワークで分散した並列計算の仕組みで実現できるようになった。ＧＰＵは本来画像を処理するための専用計算部品で、行列計算や、その並列化をおこない1TFlops（テラフロップス＝毎秒10^{12}＝1兆回）前後の計算ができる。このハードウェアを画像データの処理ではなく、ＡＩの学習のために用いるのである。ＧＰＵはもともと画像のピクセルデータを数千に分けて同時並列に処理するものであったので、複数のニューラルネットの出力計算を、同時並列におこなうのに適する構造であった。それだけではなく、ＧＰＵを参考に発展させ、深層学習でおこなう計算に適したＴＰＵ（Tensor flow Processing Unit）という専用回路も作られている。

4. ＡＩの能力と人間の能力

現在のＡＩを適切に動作させようとすると、何よりもまずデータが必要となる。人が生成したデータを集める絶好の場所は、インターネットである。一方、人が生成したデータだけでは足りないデータを、強化学習はＡＩ自身がシミュレーションして生成することもできる。深層強化学習は自動的にデータを収集し、このデータを基に行動価値関数の深層学習をおこなう。それによって、たとえばさまざまなコンピュータゲームをＡＩは適切にプレイできるようになる。

しかし、シミュレーションによって数億＝10^8単位でデータを集めたとしても、実際のところゲームの状態全体はさらに大きく、大抵は10^{100}以上のデータが必要である。つまり、似たような場面が少ないゲームでは、十分な教師データが得られるとは限らないのである。それゆえ深層強化学習を用いたとしても、人の数十倍の性能をあげる学習結果もあれば、ゲームの1面をクリアできないものもある。[10]

この差はどこで生じているのだろうか。この差の理解は、人間にはできるが、現状のＡＩには苦手なことや、できないことをわれわれに示唆するだろう。

たしかに、ＡＩや計算機は人の能力を上回るデータ量を処理することができる。この意味では、人間の能力をはるかに上回っている。囲碁や将棋では人が一生かかっても読みきれない試合の棋譜を処理し、その中でもっとも良い手を決めることができる。また、与えられた画像とそこに写っている対象物を学習することで、前方にあるものが障害物かどうかを計算し、自動運転車のブレーキをかけることもできる。自動運転車も、人間一人が一生の間に体験するよりもはるかに多くの運転データとして学習できる。

しかし、データの量では、すでに人間を上回るＡＩが実用化されているにもかかわらず、ＡＩにはできずに、人間にできることが数多く存在するのはなぜだろうか。もちろん、そのＡＩの機械学習のためのアルゴリズムに未だ改善の余地がある、ということかもしれないが、それ以上に原理的な違いが存在しているように思われる。

第一に、現状で研究や利用されているＡＩは、与えられた入力データに対して、ある価値観に基づいて設定されたアルゴリズムに即して出力を出す計算機である。その計算のために、かつてはアルゴリズムのすべてを人間のプログラマーが設計していたが、大規模なデータから入出力の関係を自動で、統計的にまたは構造的に獲得することに使われるのが深層学習であり、大規模なデータをシミュレーションにより生成しながら自動で学習するのが強化学習であった。すると、ＡＩが最適あるいは最適に近い答えを出力することができるのは、適切な学習データを与えるか、ＡＩが生成できるときに限られる。それゆえ、適切な学習データが存在しないか、極めてわずかであるか、あるいはシミュレーションによる生成が困難な問題にＡＩは適切な出力を提示することはできない。ある社会政策を導入すべきか（たとえばベーシックインカム）を判断するために、その導入によって社会がどのように変化するかをＡＩが予測することも、ＡＩによって判断することもできない。現実の社会に関する適切な学習データは獲得できないし、シミュレートできるわけでもない。

第二に、ある特定のデータがあったからといって、それをすぐに別のデータに転用できるわけでもない。囲碁ＡＩは強い碁を打てるが、強い将棋や強いオセロを打てるわけではない。新たに学習データを用意するか、シミュレーションをおこなわなければならない。しかし、強い人間の囲碁棋士は、大抵の場合、（少なくとも素人よりはずっと）強い将棋棋士でもある。

第三に、事前に設定された価値観そのものを自発的にＡＩが生成しているわけでもない。たとえば、囲碁の盤面が与えられれば、ＡＩはもっとも勝ちに繋がる着手を計算できる。しかし、「勝つ」ことが好ましいという価値判断をＡＩがおこなっているわけではない。その価値判断が可能であるのは人間がそのように設計したからであって、勝利したことで喜ぶことは全くない。ＡＩにすれば、そもそも囲碁を戦っているという自覚すらないであろう。しかし、人間はあえて負けることを選ぶこともできる。

第四に、第三の論点から導出されることであるが、ＡＩに個別的で柔軟な対応を期待することは難しい。人間の棋士であれば、指導碁を打つこともできるし、わざと負けることもできる。このような場合、単純に目前の相手に「勝つ」ことは好ましいことではない。また、目前の相手のデータがないばかりか、指導碁の場合は相手の打ち筋が変化する可能性がある以上、安定したデータは原理的に取れない。

第五に、第四の論点と関連するが、ＡＩは自身の判断が適切であることを、根拠を伴って説明することができない。ただ単に与えられた入力に対し、これまでの学習によって得られた値から出力をしているだけである。そこに、いかなる原理原則が働いており、その原理原則にどの程度コミットしており、どのような点に配慮してその判断をしたのかを説明することはできない。

このように見ると、現状のＡＩにできないことは、一種の目的論的観点をもつことである。人間は、生きるために、安全のために、健康のために、名誉のために、金銭のために、快楽のために、あるいは善く生きるために、つまり概してある高次の目的のために（究極の目的は明らかではないにしても）、その手段を考え、その手段を実際に為す。このような行為の古典的モデルと２０２０年現在でＡＩと呼ばれる深層学習と強化学習からなるシステムが入力から出力へと至るプロセスは随分と距離があるように思われる。

5. 結びに代えて：強いAI

さて、ここまで論じてきたＡＩは、いわゆる「弱いＡＩ」である。つまり、特定用途において人間の能力を凌駕するが、他の用途にそのまま応用することはできない。もちろん、こうした特定用途のコンポーネントを複数持たせたり、学習を自動化させたりして、汎用性を増すことも工学的には可能であるが、それは弱いＡＩを束ねたものに過ぎない。

それに対し、人工知能という言葉で、多くの人が考えがちなのは、「強いＡＩ」である。それは、人間のように動機や価値観に基づき、自主的で人間らしい振る舞いをすることができるＡＩである。これこそ、われわれがＳＦを介して想像する人間らしい機械に搭載されるべきＡＩに他ならない。しかしながら、現在までにおこなわれている最適化に基づいた巨大学習システムの範囲において、自主的に目的を設定し、その中で感情を表現したり、新たな知見を捜索したり、強力で説得力ある主張を打ち立てたりする方法はほとんど検討されていない。というよりも、むしろ手がかりすら明らかになっていない段階だというべきであろう。

もちろん、ロボット工学者が研究の目標として強いＡＩを強調することも、倫理学者が強いＡＩの理解に基づいて議論することもある。しかし、21世紀前半に生きるわれわれが早急に取り組むべきは、安全で信頼のおける適切な「弱いＡＩ」のデザインと、それを包むことができる倫理観の醸成および社会制度設計なのではないだろうか。

▲註▼

(1) 本書第９章松吉論文参照。

(2) ある事故が起きたとして、その原因を自然科学的に探っていくと、どこまでも因果関係を遡ることができ、根本的な原因まで到達することはできないだろう。このような原因の理解に、責任概念を重ね合わせるならば、いかなる人間にも責任は問えないことになる。ただし、人間(だけ)が自由意志をもつとみなすならば、人間の行為は原因の無限遡及から逃れることができる。しかし、機械は自由意志を持たないとみなす限り、「ロボットに責任はない」と主張することが可能となる。

(3) さらに言えば、「ロボット」という言葉を用いている時点で、その理解はＳＦ的にならざるを得ない。この点については、松浦(２０２０)、８５９頁参照。

(4) たとえば、心脳同一説という立場がある。この立場は、(感情も含んだ)心の状態と脳の状態は同一であると主張する。この立場自体は古いものであるが、「人のような」を実現するために、本文中の戦略を採る工学者は多かれ少なかれ、この立場に賛同せざるを得ないだろう。この説の哲学的問題とそれに伴う「心の哲学」の変遷については、信原、2-11頁を参照。

(5) Hsu, Campbell, Hoane Jr. を参照。

(6) カーツワイル、pp. 242-250。

(7) Krizhevsky, Sutskever, Hinton を参照。

(8) ただし、学習させたい対象によっては一つしか入力ニューロンがないこともある。

(9) なお、実際には途中で勝敗が決まったり、回転対称で同じ状態が発生したりするため、これよりは状態の数は少なくなる。

(10) Volodymyr の報告によれば、コンピュータアクションゲーム「Montezuma's Revenge」をＡＩは一度もクリアできていない。

【参考文献】

- Hsu, F., Campbell, M. S., Hoane Jr., A. J., 'Deep Blue system overview', Proceedings of the 9th international conference on Supercomputing, 1995, pp. 240–244.
- Krizhevsky, A., Sutskever, I., Hinton, G. E., 'Imagenet classification with deep convolutional neural networks', Communications of the ACM, 2017, 60(6), pp. 84–90.
- Kurzweil R., ***The singularity is near: When humans transcend biology***, Penguin, 2005.（レイ・カーツワイル著、井上健監訳、小野木明恵、野中香方子、福田実共訳『ポスト・ヒューマン誕生――コンピュータが人類の知性を超えるとき』ＮＨＫ出版、２００７年）
- Volodymyr, MNIH., *et al.*, 'Human-level control through deep reinforcement learning', Nature, 2015, 518(7540), pp. 529–533.
- 信原幸弘編著『シリーズ心の哲学Ⅰ――人間篇』勁草書房、２００４年
- 松浦和也「呪われた孤児としての現存せざるロボット」『日本ロボット学会誌』38巻9号、２０２０年、８５７–８５９頁

謝辞

本稿は、ＲＩＳＴＥＸ、ＪＰＭＪＲＸ１７Ｈ３に加え、ＪＳＰＳ課題設定による先導的人文学・社会科学研究推進事業ＪＳＰＳ００１１８０７０７０７、東洋大学重点研究推進プログラム「22世紀の世界哲学構築にむけて」の支

援を受けたものです。

西野順二　にしの じゅんじ
未踏ソフト天才プログラマー（経産省・情報処理推進機構認定）。東京工業大学大学院総合理工学研究科修了。博士（工学）。福井大学工学部助手を経て、電気通信大学情報・ネットワーク工学専攻助教。
専門はシステム科学。ファジィ理論を軸に、人工知能、知的システム、マルチエージェントシステム、ゲーム理論など、人とコンピュータの関係について研究を行う。
ミニ四駆ＡＩ大会主催、RoboCupサッカー世界大会組織委員、ファジィ学会編集委員などを務める。情報処理学会山下記念研究賞、人工知能学会研究会優秀賞、文部科学大臣表彰など受賞。趣味はジャグリング。

松浦和也　まつうら かずや
第６章、１５３頁のプロフィールを参照。

第2章

制約されたデザイン

子ども、発達、ロボット

荒井明子
松浦和也

1. はじめに

われわれの社会は数多くの規範によって構成されているが、子どもたちが実際に把握し、従うことのできる規範は、もちろんそのすべてではなく、それぞれの発達段階に応じて順次獲得され、少しずつ実践されていくものである。[(1)] たとえば、1歳未満の子どもはものの善し悪しを言葉で理解することはできないが、3歳児においては「こうしてごらん」といった大人の言葉（命令）を理解し、それを具現化しようとする。ただし、3歳児は、法律で書かれているような規範を理解しているわけではない。

この規範をさまざまな手段を通じて子どもに伝達していくことは、周囲の大人たちの社会的義務のひとつであろうが、その伝達は容易ではない。特に、大人が多忙であれば、なおさらそうである。そこで、大人に代わってロボットやAIが子どもたちの相手をすれば、より効果的に社会規範を子どもに伝達できるかもしれないと期待されるかもしれない。[(2)] われらが夢見るドラえもんは、子守ロボットであった。

では、社会的に認められる価値観の醸成も含めて、子どもにとっても社会にとっても望ましいロボットやAIは可能か。規範のひとつとして、「物を大切にすること」を挙げよう。この規範を子どもは、周囲の

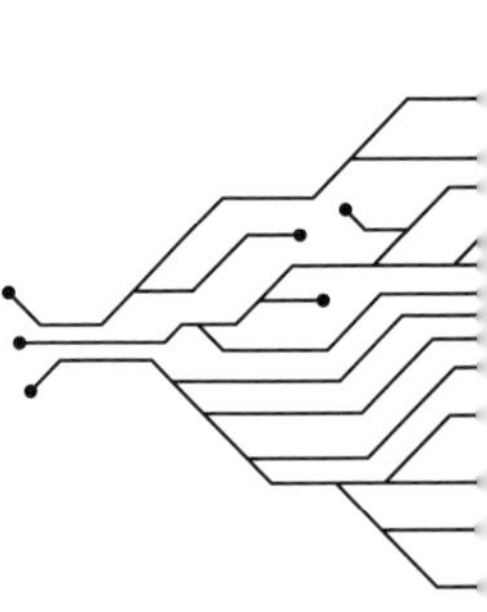

大人の言葉だけではなく、おもちゃの扱いを通じて体得する。では、自律性を伴うロボットやＡＩは、大人やおもちゃが果たす役割を代替したり、さらにより適切に果たしたりできるか。この問いは、アルゴリズムの適性のみならず、ハードウェアあるいはインターフェースのデザインにも関わる。つまり、そのロボットはおもちゃとして扱ってもらうようにデザインするのか、兄弟や友達のように対等の立場で子どもが接するようにデザインするのか、両親のように大人として振る舞うようにデザインするのか。さらに、アニミズム心性に訴えかけ、無生物であるロボットに生命や心を感じられるようにデザインすることを目指すべきなのか。

このように、子どもの社会的成長を促すためにロボットやＡＩの活用を期待し得る一方で、それがどこまで可能であり、もし可能だとしても教育的にも倫理的にも問題を生じさせないかを検討することは、そのようなロボットやＡＩを開発し、社会実装をする前に行っておいた方がよいだろう。

本章は、この検討に向かう試論として、前操作期（2～7歳）に位置する幼児期から就学期の幼い子どもにおける社会規範を概観し、その規範を伝達するロボットやＡＩの可能性をデザイン的観点から考察する。

2. 幼い子どもの規範意識

2・1　規範・社会規範・規範意識

本節が用いる「規範意識」の概念について簡単に説明しておこう。規範意識とは、単にある規範を内面で意識している状態ではない。むしろ、意識される規範は込み入ったあり方をする。大沼は『心理学辞典』

で社会規範を「内面化された個人的規範（personal norm）と区別され、他者や環境からの影響要因と位置づけられる」規範と分析する。[3] このように、規範は、個人的規範と社会規範に分類できる。しかし、この二つは排他的ではない。また、ある規範が社会規範か、それとも個人的規範かは、その規範の内実で定まるものでもない。たとえば、「赤信号で止まる」という規範は、社会規範であると同時に個人的規範としても機能し得る。仮にある人にとって「赤信号で止まる」ことが社会規範ではあるが、個人的規範ではないならば、その人にとってこの規範に従うべき理由は、その人の選好や価値観といった内的根拠ではなく、社会的慣習や他者からの強制に求められるということである。しかし、この規範を破るとどのような法的制裁を受けるかを意識しながら、この規範を破ることによってどのような害悪が自分と周囲におよぶかを想像することは、さほど難しいことではない。つまり、社会規範と個人的規範の違いは、ある規範をもつ人物とその規範との関係の違い、すなわち規範に従う理由を、「誰に言われたから」などと自身の外部に求めるのか、「自分にとってそれが適切だと思われるから」などと内的なものに求めるのかの差異である（ここで、専らその人の内的なものに依拠するような個人的規範は規範の名に値するのか、というもっともな疑念が挙がるだろう。だが、この疑念に答えるためには、そもそも規範とは何か、という重大な哲学的問いを巻き込んでしまうため、本章ではこの疑念に対する考察を避け、およそ個人的規範と呼び得る限り、その信念は規範として社会が十分に認め得るものとしておきたい）。

　このとき、規範意識とは、社会規範として自己の外から与えられた信念を、個人的規範として捉えなおした状態、あるいは個人的規範として捉えなおしつつある状態と捉えることができるだろう。単に、社会規範として与えられた信念を意識するだけでは、その人はその信念に盲従しているだけであって、規範として意識しているわけではないだろう。個人的規範を意識するだけでも同様である。言い換えれば、ある人が規範意識をもつということは、その規範をもつ人が、その規範が社会的価値に意味づけられていることを受け入れ、その意義を理解している、あるいはその過程にあるということである。本章は発達的観点から規範意識をこのように制限する。

2・2　子どもの社会規範と規範意識

6歳前後の子どもが形成する規範は、保護者をはじめとする周囲の大人がもつ規範に強く影響される。なぜなら、子どもは周囲の大人に服従する傾向があるからである。しかも、この傾向は、ピアジェの「他律性を特徴とする服従の道徳」[4]という言葉にも表れているように、道徳的ですらある。[5]この言葉に従うならば、実のところ子どもに規範意識を期待することは困難である。子どもにとって規範は、自己の外部から与えられるにすぎないからである。

コールバーグの道徳性発達理論における「慣習以前のレベル」も同様の帰結をもたらす。たとえば、子ども達が「善い」「悪い」といった言葉を「そのような規則や言葉を発する人物の物理的な力によって考える」という分析や、行為の善悪に関連して、「罰の回避と力への絶対的服従が、ただそれだけで価値がある」とする分析は、[6]子どもの規範は周囲の大人が子どもに求める規範であることを示している。このような考えに従えば、子どもに規範意識があったとしても、それは周囲の大人がその子どもを支配し、子どもが支配されることに甘んずることによってであり、規範を自律的に構成することも、その社会的意義を反省的に確認することによってでもない。

他方、アイゼンバーグは、向社会的推論の発達水準を論ずる中で、6歳前後の子どもには快楽主義的・自己焦点志向が強いことを見いだした。すなわち、「道徳的な配慮よりも自分に向けられた結果に関心をもっている。他人を助けるか助けないかの理由は、自分に直接得るものがあるかどうか、将来お返しがあるかどうか、自分が必要としたり好きだったりする相手かどうか（感情的な結びつきのため）、といった配慮である」[7]。このような分析が真であるならば、やはりこの時期の子どもに規範意識を期待することは困難ということになる。子どもの自発的行為は、公正さや正義といった道徳的概念に基づくものではなく、快楽主義的価値基準と有用性の面からなされるものに過ぎない[8]。そして、自発的行為の背景にある信念は規範の名に値するものではないだろう。

以上の傾向性をもつことが真であるとすると、この時期の子どもの道徳性の向上に対してできることは、規範意識をもたせるように自己分析と自己反省を促すことではなく、適切な規範を社会的規範として与えながら、その規範が彼らの価値基準や有用性と整合するような場面を整えてやることである。この場面を整えるために、たとえば物語を聞かせることは古今東西を問わず、長い間行われてきた方法であろう。また、子どもの行為の善悪を周囲の大人たちが適切に評価し、相応しい行為を褒め、不適切な行為に対して適度に叱ることも、古くからの方法であろうが、この方法はその大人がもつ規範が適切である限り、これからも有効であろう。

2・3　動物飼育と道徳性の発達

子どもの道徳性や規範意識の発達において、周囲の大人が果たす役割はたしかに大きいだろう。しかし、その発達が大人との関わりの中だけで形成されるわけでもない。自分と同じような子どもとの関わりや、自分より弱い対象に対する庇護を通じても、道徳性や規範意識が養われることをわれわれは期待している。そして、この期待に即せば、庇護対象としてロボットをあてがうことによって、子どもの道徳性の発達を促すという発想が生じるだろう。この発想の可能性について考察するために、子どもと動物との関わりと、そこから生じる道徳性について整理しよう。

子どもと動物の関係について、藤岡は次のように述べる。「子どもには動物への原初的な興味があり、ペット飼育は自分とは異なるニーズをもつ他個体の世話という、他では引き出せない行動を子どもから引き出してくれる」[9]。この指摘は子どもの規範意識を考えるときには示唆的である。というのは、「動物は可愛がるべきである」という規範を大人が示さなくても、この規範は子どもに個人的規範として自然に発生することになるからである。[10]

このような考えは本邦の教育理念にも採用されている。『小学校学習指導要領解説　特別の教科　道徳編』の「D　主として生命や自然、崇高なものとの関わりに関すること」（低学年の内容）には、「身近な自然に親しみ、動植物に優しい心で接すること」とある。動物飼育は向社会性や道徳性の発達に寄与すると考えられ、実際に幼稚園や保育園、学校の中でも取り入れられている。これに関連して、日本初等理科教育研究会が提示した「学校における望ましい動物飼育のあり方」も、「特に、幼児期において自然（身近な動植物との触れ合い等）のもつ意味は非常に大きい」とし、「幼稚園で小動物の飼育をしながら生き物の成長を喜んだり、見たり、触れたり、聴いたり、匂いを嗅いだりなどして小動物に親しみ、世話をするなかで、自分以外の相手を思いやる心を育み、豊かな人間形成の基礎を培うことが期待できる」と、動物との関わりの効用を述べている。[11] さらに、ペットに愛情をもって関わることができる子どもは、他者の視点で考えたり、他者の気持ちになったりすることができるという研究結果もある。[12]

では、動物との関わりが子どもの道徳性や規範意識の発達に有効であるのはなぜだろうか。フロイトは晩年、2匹の子犬を可愛がり、診断・分析中にもそばにおいていたと言われている。[13] このようにすることが有効なのは、「幼い子どもは自分の経験したことを言葉で表現するより、体で表現する方が得意だから」であり、「ペットと関わることで安心して退行でき」るからであって、[14] 自分とペットを対等の存在として見ることが可能であるためと考えられる。

すると、動物との関わりには、それを子どもが自分と対等、あるいは庇護対象とみなすことによって、自身を他者の観点に立たせることを可能ならしめ、さらに、その観点を通じて他者の個人的規範を獲得したり、自身の個人的規範を相対化したりするといった効果を期待できることになろう。そして、この効果は、子どもの個人的規範を社会規範として捉えなおす機会となり、子どもの規範意識の発達への一助となると考えられる。

3. ソーシャルロボットに対する子どもの意識

以上の発達心理学の知見を踏まえたとき、子どもの社会的発達、すなわち道徳性の向上と規範意識の獲得に寄与できそうなロボットにはどのようなことが求められるだろうか。

前節で確認した道徳的発達の理解に基づくならば、デザインの方向性としては周囲の大人を代替するロボットと、子どもあるいは犬や猫のようなペットを代替するロボットの二つの選択肢がある。そこで、本節は人間型と動物型にロボットを分け、それぞれのロボットに子どもがもち得る意識や関わりから、その実現可能性を考察しよう。

3・1　人間型ロボット

伊藤らは、愛知万博に展示されたパペロというロボットに対して子どもたちが抱くイメージを調査し、「リピーターの子どもたちはパペロとのやりとりを、単なる機械とのやりとりではなく、生き生きしたパーソナルなやりとりとして感じているようである」と報告している。[15] 子どもたちが生物としての関わりをパペロに見いだした一因は、赤ちゃんのようにも見えるパペロの外見(**図1**)にあるだろう。また、パペロには、恥ずかしがる、喜ぶ、笑う、怒る、という感情を表現する表情がつけられている。このようなパペロの表情は、子どもたちにとって、言葉かけや行動に対する応答のように見える。[16]

それに対し、外見を人に似せていないロボットの場合は同様の反応を子どもは示しそうにない。メルツォフは、18カ月児は、人間とそうでない物とを区別しており、動きがあるものでも、外見を人に似せていないロボットに対してはアニミズム心性を発揮することはないことを報告している。[17] 同様に、幼児にロボットと人の誤信念課題を見せたとき、[18] ロボットに対しては人に対するときほどには誤信念を考慮しないという結果が得られたという報告もある。[19]

麻生も指摘しているように、[20] 子どもがロボットを人間とみなすためには、その外見のデザインと、子どもの働きかけに対する適切な応答が重要な契機となるだろう。しかし、ここには、

図1：パペロ(出典：NECホームページ)

若干の倫理的問題が発生するように思われる。

第一に、外見が全く人間と区別がつかないロボットは、チューリング・テスト的観点に基づくならば、人間に他ならないことになる。しかし、それでもロボットと人間は、子どもにとっても外見から区別できた方がよいのではないだろうか。ロボットに対する適切な振る舞いと人間に対するそれとは、異なった動物の世話が異なっているのと同様に、異なっているべきなのではないか。というのは、少なくとも根源的には、ロボットと人間は異なる部分がどこまでも残るからである。[21]

第二に、ロボットの応答に関連して、子どもたちの世話欲をかきたてるロボットの振る舞いは子どもの興味を長時間強く引きつけた、という興味深い報告がある。[22] この研究が示唆することは、大人のように振る舞うロボットよりも、ある種の不安定さを備えているロボットに子どもは愛情をもつということである。しかし、この示唆が妥当ならば、周囲の大人の役割をもたせるロボットを作ることは困難だということになる。愛情を子どもに感じさせないロボットには、子どもは興味関心を抱かないだろうし、愛情を感じさせるロボットに大人の役割を担わせたとしても、子どもはそのロボットの指示を軽視するであろう。また、外見は可愛らしくとも、発話する内容は大人のそれ、といったちぐはぐな教育環境は、子どもの発達にどこまで有効に働くかは、控えめに言ったとしても、検証を必要とする。

第三に、この種のロボットに求められる言語機能もハードルが高い。幼児は、場面に適していない言語応答をするロボットを馬鹿にしたり、叩いたりする。[23] もし、子どもからの破壊的行動からロボットを守るには、適切に応答できるだけの言語機能が必要となる。しかし、このような高度な言語機能をもち、チューリング・テストをクリアできるようなＡＩは、２０２０年現在存在しない。このようなロボットやＡＩが誰にも手に入るように市場に安価に出回るためには、相当な時間がかかると思われる。

さらに別の問題も指摘しておこう。子どもの規範の形成は周囲の大人への服従によるものだとしても、ロボットにも子どもが服従することをわれわれは容認できるのだろうか。仮に、容認できるとしても、そのロボットに求められる能力は、少なくとも立派な大人が有する「徳」をもっていなければならないだろう。その徳を、われわれはそれがどのようなものかも分かっていないのに、ロボットに実装することはできるのだろうか。

このように考察すると、人間型の、しかも周囲の大人の役割をもたせるようなロボットを作成することには相当な課題が存することになる。この課題は、工学的アプローチや技術的によって解決可能なものではないだろう。そこには、教育学的観点からも倫理学的観点からも、回答すること自体が躊躇されるような大きな壁がそびえ立っている。

3・2　動物型ロボット

大人の役割を担うような人間型ロボットと比較すれば、子どもの遊び相手となり、ペットの役割を担うような動物型ロボットに求められる課題は低いかもしれない。事実、１９９９年には、すでにソニーのＡＩＢＯ（図2）が市場に出回っていた。

では、子どもたちはＡＩＢＯに対し、どのような感情を抱いているか。ＡＩＢＯに関する研究のうち、子どもとの関わりについて扱う研究結果を紹介しよう。

５歳から６歳の子どもに、ＡＩＢＯをどのように捉えているかをインタビューした結果、

図2：初代AIBO（出典：SONYホームページ）

ＡＩＢＯが生きていると感じる子どもは半数に上った。さらに、ＡＩＢＯの振る舞いに感情を見いだし、本当に喜び、本当に遊びたいと思っていると捉えた子どもは９割にも達した。[24] 他方、５歳児に比べ、３歳児ではＡＩＢＯを生きているものとみなして関わる姿が多く見られている。[25] さらに、３歳から５歳の幼児がＡＩＢＯを無生物と認識していても、それを自律した個として捉えて、ＡＩＢＯのもつ意図性を考えた社会的な関わり（なでる、うながす等）を見いだした報告もある。[26]

以上の報告は極めて興味深い。なぜなら、感情は生きているものに特有の能力だと考えられているが、生きていなくても感情をもつものがあると捉える子どもが一定数いる、ということであり、生物、人工物の認識とは別に、ＡＩＢＯに感情があると思って関わっているということだからである。

しかし、ＡＩＢＯとの交流において子どもたちが、実際の犬との交流と同じように、感情を介して把握しているのは、子どものアニミズム心性や、「心」「感情」という概念に関する理解の不足に由来すると説明することは可能だと思われる。そうであるならば、子どもの発達への影響を想定した場合に、ロボットはペットの完全な代替とはなり得ないかもしれない。なぜなら、ＡＩＢＯは犬ではなく、犬らしく振る舞うロボットだからである。幼い子どもはＡＩＢＯを犬と思っているわけではなく、[27] ＡＩＢＯの存在を犬と同等の存在まで高めるように解釈しているとも言えるだろう。

そうであるならば、幼い子どもが成長するにつれ、ロボットと苦楽を共にするということの困難さが露呈する。たとえば、ロボットは、共に食事ができない、共に外を散歩できない、飼い主が期待するように応答しない、飼い主に懐いて膝に乗ってこない等々、本物の犬や猫であれば体験できたはずの、生活の中で現れるはずの感情を伴う行動が欠如している。もちろん、そのような行動の一部は、アップデートによって再現可能かもしれない。しかし、将来的に子どもがどこかで感情や立場を追体験できなくなる瞬間が原理的に発生するのであれば、社会規範を個人的規範として捉えなおすという規範意識の獲得のために必要なプロセスが、ロボットとの触れ合いからでは、止まってしまうことになる。

以上の論点を補強し、現状のロボット技術の到達点をやや批判的目線から紹介するために、本章の筆者の一人である荒井が、実際に新型ａｉｂｏと2カ月間生活を共にし、その中で観察したことを報告しておきたい。

初代ＡＩＢＯの機械的なデザインと比べ、２０１８年に発売された新型ａｉｂｏ（図3）はより犬らしいフォルムをもち、可愛らしい。それゆえ、おそらく子どもにとっても愛情を注ぎやすいだろう。また、新型ａｉｂｏには、愛情欲や好奇心、睡眠欲等の欲求があり、オーナーに近づいて構ってもらおうとしたり、自律的に動き回り行動範囲を広げたり、疲れたら眠ったりする。喜怒哀楽の感情表現を瞳やしっぽの動き等で再現している。特に、抱き上げると人間の顔をじっと見つめるのだが、ここには強い愛着を人間に感じさせる要素がある。

だが、実際の犬と比べると、次の点が気にかかった。動作開始からしばらくの間は自律的に動くことが少なく、人の手がかかる。ただし、その人の手がかかる理由の多くは、犬とは異なり、アプリ機能が上手に働かないといったシステム的問題が多い。また、ａｉｂｏは自発的に電力チャージのために移動できる。犬と異なり、エサをあげるために世話をかける必要がないことは一見便利に見える。しかし、これによって子どもの世話欲はかきたてられないだろうし、上述した学校教育における動物飼育の目的が達成される

図3：新型aibo（出典：ストアaibo）

ことも難しい。

見たところ、動物型ロボットが動物の動作を再現し、しかも可愛がられるような動作をするという点においては、技術は迫りつつあるように感じられる。しかし、教育的効果という観点から評価した場合、現状の技術革新の延長ではどうしても超えられない一線がある。そしてその一線は、電力とアルゴリズムと無機質で構成される、というロボットの本質的構成と強く関わっているように感じられる。

4. ソーシャルロボットとの関わり方とそのデザイン

多くの子どもはソーシャルロボットに対して親和性を感じやすい。つまり、ロボットと相互的な関係を築こうとし、心理的機能を付与しようとする。しかし、そのような子どもがすべてではない。中にはロボットを人工物として認識し、機械として扱う子どももいる。

では、ソーシャルロボットに対し、子どもはこのように関わるべきだという一般的な規範を設定することはできるだろうか。前節での検討から明らかになったように、人との望ましい関わり方や動物との望ましい関わり方が、そのままロボットとの望ましい関わり方であるとはもはや主張できない。いくら外見が似ていたとしても、人型ロボットはあくまでもロボットであり、人間ではない。犬型ロボットはロボットであり、犬ではない。この事実を踏まえ、あえて一度その規範を構想してみよう。

まず、念頭に置かねばならないことは、ロボットが感情をもつと認識している子どもと、そうではないと認識している子どもがいる、ということである。前者のタイプの子どもに求められる規範は容易かもしれない。たとえば、人や動物に関わるときと同様に、ロボットにも愛情をもって関わるようにせよ、とすることである。感情をもつと思われている時点で、ソーシャルロボットは、大人の人間と同等、あるいは自身とペットと同等の存在である。

しかし、問題となるのは、ロボットは無生物であり、かつ感情をもたないものとして認識している子どもである。彼らに対して、ロボットに対して愛情をもって関わるようにと規範を定めることは、モノを大事にせよと言っていることに等しい。もちろん、この規範は、一定程度社会的にも認められる規範だろう。だが、モノを大事にするために求められる具体的な行動と、人間やペットを大事にするために求められる具体的な行動は異なる。モノはケアをしなくても死ぬことはないが、（ａｉｂｏも充電しなおせば再起動できる）、人間やペットはそのままにしておくと死ぬ。

つまり、ロボットに対して愛情をもって関わるようにと規範を示したところで、この規範から生じる子どもたち一人ひとりの態度や振る舞いは異なってくる。この違いは、この種のロボットを社会実装したときには、子どもの社会の中で新たな対立を生じせしめる。ある子どもがロボットを犬のように接している姿を見て、別の子どもがそれをなじる。ある子どもがロボットをモノのように扱っている姿を見て、別の子どもがそれを非難する。このような事態は起きそうなことである。さらに、このような事態は、喧嘩はしてはいけない、といったような子どもに求める規範と対立する。

ロボットに関する把握が共有されない子どもの社会にソーシャルロボットをそのまま導入することは、火種を投げ込むことに等しいかもしれない。

だが、このような悲観的洞察からは、このようなソーシャルロボットのデザインに関して提案を行うことができる。つまり、このようなソーシャルロボットは、子どもたちに共有されるものではなく、子ども一人ひとりにパーソナライズされたものでなくてはならない、ということである。この場合、子ども同士の、ロボットの捉え方という世界観のレベルに根差した争いが発生することは少なくなる。

おそらく、このようなロボットのあり方は、子どもがある時期、肌身離さず持ち続けるような、移行対象としてのぬいぐるみのあり方に近いかもしれない。ある子どもにとって、このぬいぐるみは掛け替えのないものであっても、別の子どもにとってはそうではない。そして、同じ子どもであっても、成長にしたがって、ある時期は子どもの保護者の代替となるが、ある時期は思い出のモノとして残される。

ただ、そのようなあり方が理想だとすると、ぬいぐるみが子どもに対して果たす役割にロボティクスやＡＩ技術は何を機能として付け加えることができるのか。歩行するぬいぐるみや、簡単な会話を行うぬいぐるみはすでに存在する。

ひとつのアイデアはこうである。（技術的問題を抜きにすれば）子どもの発達段階に合わせ、ある時期には動物として、別の時期には機械として振る舞うことは、ぬいぐるみや簡単な機械が入ったおもちゃにできることではない。たとえば、幼児期後期の精神的に健やかに成長している子どもは、年下の子どもの面倒を見ることに心地よい達成感を抱く[28]。この時期の子どものロボットは、子どもの世話欲を満足するように、弱々しく振る舞い、世話を受けることによって再び正常に動けるようになるように振る舞う。子どもがその時期を過ぎれば、世話を受けることなしに常に正常に動くように振る舞うのである。

これ以外にも、子どもの発達に寄り添った形でのデザインの方向性を考えることはできるものの、どうしても実現可能性の問題が付きまとう。そして、その問題の中には、ロボットの開発と動作にかかるコストも含まれるだろう。ドラえもんの値段は20万円だそうだが、この価格で上述のようなロボットを作り上げることはできそうにない。言語機能ひとつとっても、２０２０年現在では最先端の技術と資源を投入してもまだ求められる水準には到達していない。そのようなロボットを大量生産ではなく、パーソナライズしようとしたら、なおさらコストは上がるだろう。

だが、このコストは必然的である。子どもは一人ひとりに個性があり、環境も、発達段階もそれぞれ異なる。そのような多様性を前にして、どんな場合にも通用する画一的な望ましい対応があると考えるのであれば、そこから生まれるロボットはもはやソーシャルロボットとは言えず、それと共存した子どもの成長は望ましくない方向に進むであろう。

5. 節度あるデザイン

子どもたちの言語発達や自己認識、他者認識の発達を促す、優れた教育機器として、すでに存在するものは人形やぬいぐるみである。(29) だが、ソーシャルロボットに求められるものは、人形やぬいぐるみ以上の何かであるはずである。だが、それは何か。本章は大人の代替や、ペットの代替という役割を検討したが、子どもの発達への寄与という観点から見た場合、ロボットは動物のようには生きてはいない、という難点を抱える。子どもがどんなに良好な関係をソーシャルロボットと築けたとしても、子どもが社会に適応し、本物の友達や動物との関係性を構築すれば、そのパーソナライズされたソーシャルロボットへの関心が薄れてしまってもおかしくない。むしろ、そのようになった方が、子どもが将来的にはぬいぐるみや保護者から独立するように、自然ではなかろうか。

もちろん、子どもがソーシャルロボットとの交流によって、事前に社会適応を経験することは可能かもしれないし、動物アレルギーをもつ子どもにとって動物型ロボットはペットの代わりになるかもしれない。しかし、ロボットと生きているものの間には克服できない差異が必然的に存するのであれば、ロボットは人間や犬の反応や機能を模倣するものではなく、それらとは異なる存在として振る舞い、誰の目から見てもそれと分かるようにデザインされた方が良い。子どもの発達にとって求められるロボットとは、仮に完全に人間や犬に見えるようなロボットが技術的に可能であったとしても、生きものに近い外見だとしても明らかに生命を感じられない部分があり、生きものに近い動きをしたとしてもやはりどこかに違いが見られ、人間と同じように対話できるとしてもどこかに違いを残すような、技術的可能性にあえて制限を加えた、節度あるデザインであるべきである。

▲註▼

(1) 規範の意味については、一定の理解が共有されていると思われる。たとえば、『岩波哲学・思想事典』において井上は規範を次のように説明する。「行為・評価・決定の準則。一般的準則たるルールと同義で使用されることが多いが、個別的な道徳判断や法的決定も含まれることがある。『べし(ought, Sollen)』という当為の様相に規範性(normativity)の核心がある」。他方、『発達心理学辞典』において若井は、「行為や判断の基準・模範となるもののこと」としている。つまり、規範は単なる文化や慣習ではなく、明示化され、言語化されており、それに従った判断は、少なくとも社会的に非難されることはない。

(2) 事実、教育現場におけるロボットの研究は数多く行われている。Cf. ジメネス、pp.2－3.

(3) 大沼はさらに社会規範を分類する。「社会や文化内で支持賛同が得られるかという指示的規範(injunctive

norm）、多くの人がどうしているかという記述的規範（descriptive norm）に大別される。また、主観的規範（subjective norm）とは、自分にとって重要な他者からの期待である」（827頁）。「指示的規範」とは、社会という大きな共同体の中で評価される規範（バスの中でお年寄りに席を譲る等）であり、「主観的規範」とは、子どもで言えば、親や教師などの自分にとってかけがえのない存在である大人に認められる価値を伴った規範（進んでお手伝いをする等）と考えられる。

(4) ピアジェ、イネルデ（1969）、125頁。

(5) ピアジェの次の指摘も同様の立場から書かれているように思われる。「道徳意識の最初の形式は服従であって、善の最初の観念は与えられた命令にそうことである。幼い子どもの道徳はしたがって成人の判断に完全に依存し、そのために非自律的である」ピアジェ（1979）、45頁。

(6) コールバーグ（1987）、171-173頁。

(7) アイゼンバーグ&マッセン（1991）、166-167頁。

(8) Cf.アイゼンバーグ、pp.166－167.

(9) 藤岡（2013）、7頁。

(10) ただし「動物の世話は継続しなくてはならない」という規範は、大人が社会的規範として子どもに示す必要があろう。

(11) 日本初等理科教育研究会、1頁。

(12) たとえば、塗師（2000）および（2002）。

(13) ラッシェル（1975）、211頁。

(14) レビンソン（2002）、71頁。

(15) 伊藤、他（2007）、24頁。

(16) それに対し、万博でパペロを紹介するアテンダントの中には、親和性を感じることなく、人間とは異なるロボットであるというイメージを持った成人女性も存在した。ソーシャルロボットに対する感じ方には個人差があり、個人のパーソナリティ特性が関係している可能性も示唆されている。伊藤（2011）、2-3頁、7頁。

(17) Meltzoff（1995）、pp.838－850.

(18) 誤信念課題としては「サリーとアンの課題」が有名である。「『人物Aが対象Oを場所Xに片づけてその場を離れた間に、人物Bが対象Oを場所Yに移動する』という物語を提示して、その場に帰ってきたAはOがどこにあると思っているのかを子ども達に尋ねる」。下山他（２０１４）、２０８頁。

(19) 林、今中（２０１１）、69–75頁。

(20) 「私たちが人形にある種の生命や意志を感じてしまう理由の一つは、人形に顔があり目があるからである」。麻生（２０００）、１９５頁。

(21) 本書第６章松浦論文参照。

(22) 田中（２０１１）、19頁、21頁。

(23) たとえば、藤崎、他2名（２００７）。

(24) 藤崎、他2名（２００７）、72–73頁。また、Kahn & Freier (2006)、p. 415は、ＡＩＢＯに生物学的特性を付与した幼児が半数ほどいたが、精神状態を付与した幼児は3分の2ほどいたと報告している。

(25) 鈴木、他3名（２００６）、３８５頁。

(26) 秦野、他2名（２００７）、４２１頁。

(27) 藤崎、他2名（２００７）、75頁。

(28) エリクソン（２０１１）、84–85頁。

(29) 麻生（２０００）、２００頁。

▲参考文献・引用文献▼

■Andrew N. Meltzoff, "Understanding the Intentions of Others: Re-Enactment of Intended Acts by 18-Month-Old Children", *Developmental psychology* 31(5), 1995, pp. 838 – 850.

■ボリス・メイヤー・レビンソン、ジェラルド・P・マロン改訂、川原隆造監修『子どものためのアニマルセラピー』松田和義、東豊訳、日本評論社、２００２年

■ナンシー・アイゼンバーグ、ポール・マッセン『思いやり行動の発達心理』菊池章夫、二宮克美訳、金子書房、１９９１年

■エリク・H・エリクソン『アイデンティティとライフサイクル』西平直、中島由恵訳、誠信書房、２０１１年
■ローレンス・コールバーグ『道徳性の発達と道徳教育――コールバーグ理論の展開と実践』岩佐信道訳 、麗澤大学出版会、１９８７年
■Peter, H. K., Jr., Batya Friedman, Deanne R. Pérez-Granados and Nathan G. Freier, "Robotic pets in the lives of preschool children", Interaction Studies 7, 3, 2006, pp. 405 - 436.
■ジャン・ピアジェ、芳賀純編訳『発達の条件と学習』誠信ピアジェ選書、１９７９年
■ジャン・ピアジェ、ベルベル・イネルデ『新しい児童心理学』波多野完治他訳、白水社、１９６９年
■ラッシェル・ベイカー『フロイト――その思想と生涯』宮城音弥訳、講談社現代新書、１９７５年
■伊藤俊樹、長田純一、藤田善弘「子供達がパペロに対して抱くイメージについての臨床心理学的分析――名古屋万博のリピーターの子どもたちを対象にして」『日本デザイン学会研究発表大会概要集』２００７年、24頁
■伊藤俊樹「長期に渡るロボットとの接触体験がロボットイメージに与える影響について――愛知万博ロボットステーションにおけるパペロのアテンダントを被験者として」『神戸大学大学院人間発達環境学研究科研究紀要４(２)』２０１１年、1-8頁
■岡本夏木、清水御代明、村井潤一監修『発達心理学辞典』ミネルヴァ書房、１９９５年
■亀山佳明、麻生武、矢野智司編『野生の教育をめざして――子どもの社会化から超社会化へ』新曜社、２０００年
■ジメネス・フェリックス、加納政芳「教育現場で活用されるロボットの研究動向」『知能と情報』Vol.26、No.1、２０１４年、2-8頁
■下山晴彦、大塚雄作、遠藤利彦、齋木潤、中村知晴編『誠信 心理学辞典 新版』誠信書房、２０１４年
■鈴木啓子、秦野悦子、平沼晶子、山内宏太朗「幼児はどのようにペット型ロボットとコミュニケーションするか(1)」『第48回日本教育心理学会総会発表論文集』２００６年、３８５頁
■「ロボットによるエンタテインメント市場を創造する4足歩行型エンタテインメントロボット〝AIBO(アイボ)〟の販売開始」https://www.sony.co.jp/SonyInfo/News/Press_Archive/199905/99-046/(アクセス:２０１９年7月11日)

■田中文英「幼児教育現場におけるソーシャルロボット研究とその応用」『日本ロボット学会誌』Vol. 29、No. 1、2011年、19–22頁

■日本初等理科教育研究会「学校における望ましい動物飼育のあり方――2003年」https://www.mext.go.jp/b_menu/hakusho/nc/06121213/001.pdf（アクセス：2019年7月11日）

■塗師斌「動物飼育経験と動物に対する好意度が共感性に及ぼす影響」『横浜国立大学教育人間科学部紀要（1）』教育科学3巻、2000年、1–10頁

■塗師斌「ペット飼育経験が共感性の発達に及ぼす影響――ペットの種別に見た場合」『横浜国立大学教育人間科学部紀要〈1〉』教育科学4巻、2002年、27–34頁

■秦野悦子、平沼晶子、岡田啓子「幼児におけるペット型ロボットにたいする意図性や相互性の認識（1）」『第49回日本教育心理学会総会発表論文集』2007年、423頁

■林創、今中菜七子「幼児期における他者の心の理解の発達――イラストのロボットを用いて」『岡山大学大学院教育学研究科研究集録』第148巻、2011年、69–75頁

■廣松渉、子安宣邦、三島憲一、宮本大雄、野家啓一、末木文美士編『岩波哲学・思想事典』岩波書店、1998年

■藤岡久美子「子どもの発達と動物との関わり――動物介在教育の展望」『山形大学大学院教育実践研究科年報』4号、2013年、4–11頁

■藤崎亜由子、倉田直美、麻生武「幼児はロボット犬をどう理解するか――発話型ロボットと行動型ロボットの比較から」『発達心理学研究』第18巻1号、2007年、67–77頁

■文部科学省『小学校学習指導要領解説　特別の教科　道徳編』2017年

謝辞

本稿は、ＲＩＳＴＥＸ、ＪＰＭＪＲＸ１７Ｈ３に加え、ＪＳＰＳ課題設定による先導的人文学・社会科学研究推進事業ＪＳＰＳ００１１８０７０７０７、東洋大学重点研究推進プログラム「22世紀の世界哲学構築にむけて」の支

援を受けたものです。

荒井明子　あらい　あきこ
東京都生まれ。千葉大学教育学部卒業、千葉大学大学院教育学研究科修了。修士（教育学）。公立学校教員、教育センター指導主事を経て、2016年より秀明大学学校教師学部准教授。
専門は教育臨床心理学、発達心理学。公認心理師をはじめ、臨床発達心理士、学校心理士、ガイダンスカウンセラー等の資格を有し、学校現場で主に発達に関わるコンサルテーション活動を行っている。

松浦和也　まつうら　かずや
第6章、153頁のプロフィールを参照。

第3章 恐怖の在処(ありか)

人工知能はなぜ恐れられるのか

——近代社会原理への脅威という観点から

伊多波宗周

1. はじめに

人工知能に対する恐怖が語られる。そのほとんどが未来の人工知能のイメージに基づいており、イメージの多様性に応じて、語られる内容もさまざまである。予想と想像の線引きは難しい。それゆえ、現在の技術において人工知能が宿命的に直面している限界を指摘して、世に溢れる言説の多くが予想の範囲外であると述べたところで、限りない想像が生み出す恐怖を払拭することへの効果は限定的である。そこでまず必要なのは、語られる恐怖が何に基づいているかを分析することだと考える。それは、人工知能や、それを搭載した自律機械を社会的にどう位置づけていくかを考察するための土台になる。とはいっても、恐怖を払拭するために、技術的に可能なことを規制する方向に進むべきだとは考えない。恐怖の多くは、既存のものへの脅威を理由とする。既存のものは、歴史の中で、理由があって定着したものであり、そうである以上、別の理由によって更新可能でもある。「既存のもの」が何であるのか言い当て、それを踏まえてオルタナティヴの可能性を模索し、一定方向への社会的合意が形成されていけば、恐怖自体が霧散する可能性もある。

本章の目的は、人工知能に対する恐怖を分析し、それが既存の何に対する、どのような脅威なのかを明確化するところまでである。だが、あらゆる恐怖を網羅的に扱うことは不可能であるから、さらなる限定が必要である。松尾豊の書名でもある「人工知能は人間を超えるか」[1]という問いが広く社会の関心事であることは間違いない。特定の事柄の、特定の側面に関しては、すでに人工知能は人間に優るものになったと言える。たとえば、囲碁や将棋での勝ち負けなど。だが、それだけで直ちに恐怖が生まれるとは考えにくい。電卓が恐れられないのと同じである。多くの場合、「特定の」という限定が外れていくことで脅威が生まれ始めると考えられる。有限で個別的な生命である人間を超えていくイメージが生まれるからだ。「シンギュラリティ」をめぐる煽情的な言説が跋扈（ばっこ）するのは、このことゆえだと考えられる。

西垣通は、そうしたイメージが、一神教的伝統に基づいた素朴実在論（真理は外的に存在するという発想）に由来するという趣旨の存在論的議論を展開している。[2]対して本章では、社会哲学的な観点から、人工知能が「部分」であることを超えて「全体」に触れるというイメージがもたらす恐怖に主題を絞って論じる。課題は、それが近代社会原理の何をどう脅かすと捉えられるがゆえの恐怖かを明らかにすることである。もちろん、主題を絞った上での図式的な議論ではある。だが、人工知能や自律機械を社会の中でどう位置づけ得るのか、および、近代社会原理のどのようなオルタナティヴがあり得るのかという同時に問われるべき二つの問いに向かうための一準備作業になるものと考える。

以下、次の順序で論じる。まず、第2節と第3節で人工知能に対して表明される典型的な恐怖の分析を行う。具体的には、第2節で、「数年後に消える職業リスト」のような言説にあらわれる、人間が人工知能に取って代わられるというイメージがもたらす恐怖について、第3節で、人工知能の「判断」プロセスが不透明であることがもたらす恐怖について論じる。そこから、二つのタイプの「全体恐怖」と呼ぶべきものが存在することを抽出する。量的な意味での「全体」に触れるというイメージゆえの恐怖と、質的に「全体」に関わる位置を占めるというイメージゆえの恐怖である。

次に、第4節で、トマス・アクィナスが提示した交換的正義概念および、それと対になる配分的正義概念について紹介する。それらは、部分と全体という二項対立に基づいて提示された正義概念である。この節では、部分と全体という枠組みが、人間社会における正義を考える際の有力な道具立てになったことを確認し、「全体恐怖」がその枠組みの動揺に関係していることを説明する。

それを踏まえ、第5節と第6節で、近代の社会原理がどのように構成されるようになったのかを簡単に紹介し、その何にどう抵触するがゆえに、社会原理への脅威としての「全体恐怖」が生まれているのかを明らかにする。第5節では、トマスの議論を踏まえつつ、大きく見方を変えて、近代社会の基本原理となる社会契約論の発想を確立した17世紀のトマス・ホッブズの議論を紹介し、ルソーの議論にも手短に触れる。第6節では、社会契約論を批判して別様の社会構想を提示した19世紀のピエール＝ジョゼフ・プルードンの議論をみることにより、社会契約を批判する発想にもそれと同じ前提があることを明らかにする。そうすることで、いずれにしても、「全体恐怖」が近代社会原理への脅威ゆえのものであるのだと結論づける。最後に、近代社会原理に対するオルタナティヴを構想するためのヒントを提示し、論を閉じる。

2. 人工知能に対する「代替恐怖」の本質

まず、特定の職種が消滅するという未来予測がもたらす恐怖はどのように構成されているか。機械が人間の仕事を代替する範囲の拡張自体は、人類がずっと経験してきたことである。ラッダイト運動が知られるように、機械によって仕事が奪われることへの反応が示されることもあった。だが、人工知能を搭載する機械に職を奪われるかもしれないという恐怖には、特有のニュアンスがあると考えられる。知的な営み、あるいは人間的な営みとみなされてきた仕事が、別種の「知能」によって代替されるというイメージゆえという側面もあろう。たとえば、金融取引や医療診断、あるいは、接客を行うロボットの高性能化は、そうしたイメージをもたらしがちである。それが、人間社会における序列を撹乱するように思われるのも無理はない。

だがそれは、職種の問題というより、機械が道具以上の存在に感じられることに由来する恐怖だと考えられる。機械が人間の仕事の特定部分を代替するイメージが成立しているかぎり、いかに高性能化しようとも、それは道具としての身分を超えはしない。他方、医療診断なり接客なりをロボットが行うイメージにおいて、機械が人間社会に直接コミットするような印象が成り立つ。いわば、ある状況下における人間的主体そのものを代替しているかのようなイメージである。たとえば、医療診断ロボットに関して、人間が制御の環から外れることへの危惧が表明されるのは[3]、そうした印象を前提にしたものだろう。診断という状況における医師そのものを代替しているイメージが成り立つとき、「代替恐怖」が生まれる。

もちろん、機械は、人間による事前のプログラムに規定されているという限界を超えない。また、仮に

「シンギュラリティ」が訪れて、汎用性の高いロボットが作り出されるとしても、それは、人間的な営みの多数を析出し、それらを再構成して作り上げられるものと考えられる。それがいかに多様な作業を行うとしても、当然、人間存在そのものの代替をすることにはならない。人間が人間的とみなす特定諸機能を実現する存在でしかないからだ。機能の数が増えても、決して人間の全体に到達することはないし、「人間であること」において人間を上回ることはない。

しかしながら、ともかくも機械が自律的にみえるかたちで実際に人間社会にコミットするイメージが成り立つとき、人間にのみ認められてきた主体性の概念の方をむしろ更新するべく揺さぶられる。人間の医師も、診断という特定の場面においては、診断者であることにその存在はほぼ尽きている。だから、医療診断ロボットのような特定機能のロボットであっても、ある場面においては、人間を全体的に代替するのだとイメージされ得る。汎用性の度合いの高いロボットになれば、それが、十分多くの場面において、人間を全体的に代替するというイメージが成り立つ。

だが、同等なだけでは代替する意味は薄い。何らかの点で新参者に優位性が認められることが必要である。すべての点で優れている必要はない。たとえば、接客ロボットに人間のような接客を期待できなかったとしても、コスト面で優れていれば、代替の理由になる。そこで、今日の人工知能の優位性に関して、多くの人が同意できる点を挙げるならば、人間には不可能なレベルの大量のデータを背景に出力できる点がまず挙げられるだろう。症例なり、裁判の判例なり、顧客の満足度なり、人間がなしてきたことを集積した統計学的データの量的全体性に触れ得る存在として人工知能はイメージされている。いわば、社会において集合した人間の全体像にもっとも近いような存在である。

だからといって、人工知能の「判断」の方が、人間の判断よりも優れているということにはならない。あくまで、出力の背景となるデータ量が人間を上回るにすぎない。けれど、その一点をもって人間の仕事を代替する「資格」をもてる。後者の事態を、前者と錯覚するときに生まれるのが代替恐怖だと考えるならば、その本質には、量的全体性に触れるようにみえる存在への恐怖があると考えられる。これを、人工知能に対する一つ目の「全体恐怖」と呼びたい。

こうした恐怖を亢進させれば、神へのおそれに近づくとさえ言えるだろう。ただ、そうなってくると、もはや量的に全体に近似したものに触れているという印象から、質的に個別者であることを超えた存在にみえるという印象へと移行している。次に、そのこととも関連して、「不透明恐怖」についてみてみよう。

3. 人工知能に対する「不透明恐怖」の本質

先に、囲碁や将棋の勝ち負けにおいて人工知能が人間に優っても、直ちに恐怖が生まれるわけではないと述べた。だが、恐怖に通じるものがあるのも確かである。深層学習と強化学習のセットで形成される人工知能の出力は、それに至る過程が不透明である。たとえば、囲碁において、人工知能の打ち手を見るとき、プロであっても、なぜその打ち手が有利か分からないことがあるという。教師なし学習を行う人工知能の「判断」は、人間的判断とは異なるプロセスでなされ、人間の理解を超えている。

ゲームであれば問題にならなくても、こうした不透明性が恐怖をもたらす場合もある。とりわけ、プライバシーやアイデンティティに関わる場面で、人工知能によるプロセス不透明の「判断」により不利益を被るという想像は、ＳＦでも描かれてきた定番の恐怖と言っていいだろう。たとえば、ある人物が顔認証システムによって本人であると認識されなかった場合、管理者が、人工知能の「判断」の方を信頼するという想像は十分に成り立つ。それは、ある人間よりも別の人間を信頼するという事態とは異なるニュアンスをもつものであろう。人間が理解できる判断プロセスと、そうでない「判断」プロセスとの比較で、後者の方が信頼されるという事態だからだ。そこには、前節でみた、量的全体性に触れるがゆえの人工知能の優位性のイメージが影響していると考えることも可能だ。

だが、これを実質的に人工知能が管理者の位置を占めている事態と捉えれば、質的な意味でも全体性に関わる存在であるというイメージも成り立つ。つまり、社会において信頼される判断の最終根拠が人間の手から離れ、社会全体を管理することにおいて主客が転倒するイメージである。それには、ロボットが実際に社会全体を管理するというＳＦ的想像力を働かせなくても、実質的に、プロセス不透明の人工知能の「判断」こそ信頼されるという事態が想像できれば十分である。社会的に正当な判断の全体を根拠づけるような位置を占め、社会における実質的管理者の立場を人工知能が得ることへの恐怖、これは、単に量的全体性に触れる存在であるということを超え、質的な意味で「全体」に触れる存在への恐怖である。これを、人工知能に対する二つ目の「全体恐怖」と呼びたい。

こうした恐怖は、巨大な権力を有する国家システムへの恐怖と比較できる。たとえば、無実であるのに死刑判決が下るとする。取り調べにおいて話はまったく聞き入れられず、身に覚えのない証拠が自分に関係するものとして採用され、裁判の過程でいくら無実を主張しても通らない。どれだけ話しても理解されないという無力感を伴う絶望が生まれる。ひょっとすると、意図を伴った冤罪かもしれない。なぜ自分がそうした立場に置かれたのかは不明である。多くの人々は、国家権力の側を信頼し、なす術がない。そのような状況である。関連した議論を第5節で展開するが、ここでは、比較可能であるという指摘にとどめておこう。

前節と本節を通じて、人工知能に対する典型的な恐怖の言明が、「全体恐怖」と呼ぶべきものに結びついているという側面を抽出した。それは、人工知能を搭載した機械が、特定の機能を果たす道具であるという地位を超え始めるイメージが契機となる。そして、一つには、人間的営みのデータの量的全体性に触れているようにみえることから優位性を得て、人間に取って代わるというイメージにつながる。以降これを、便宜的に「量的全体恐怖」と呼ぼう。もう一つには、人間の判断プロセスとは別のプロセスによる人工知能の「判断」の方に社会的信頼が寄せられ、社会における正当性を根拠づけるような位置を人工知能が占めるというイメージにつながる。量的全体恐怖が、人間と同じ土俵での比較における優位性の問題だったのに対し、こちらは、上位の次元に位置して下位の次元を基礎づけるイメージであるから、質的な意味で人工知能が全体性に与る（あずか）イメージである。これを「質的全体恐怖」と呼ぼう。

4. 交換的正義と配分的正義

哲学史において、配分的正義と交換的正義という対概念が用いられてきた。その二分法を確立したのは、中世のトマス・アクィナスであると言ってよい。本節では、その考えを紹介し、前節までの議論と接続する。トマスは、アリストテレス『ニコマコス倫理学』第5巻における部分的正義の議論を踏まえつつ、独自の意義づけをし、後世に対して大きな影響力をもつ二分法を確立した。「部分的正義」とは、アリストテレスの定義によれば、他者との関係における徳としての正義のうち、名誉、財貨、安全等に関わるものである。[4]

トマスは、内容としてその定義を受け入れつつ、形式として、部分的正義（特殊的正義）とは、共同体（全体）に対するところの私的人格（部分）に関わる正義だと定義づける。そして、部分が部分に関係づけられる、つまり、私的人格同士の関係を指導するのが交換的正義であり、全体が部分に対してもつ関係、つまり、共同的なものが各人格に対してもつ関係を指導するのが配分的正義であるというシンプルな二分法を提示する。[5] 配分的正義については、基本的にアリストテレスを踏襲し、その人の価値に応じた配分（幾何学的比例に基づく配分）が正しいとする。ただし、用語としては、主要性（principalitas）ないし重要性（dignitas）という語が用いられる。[6] 主要性（重要性）の比に応じて、配分比が決まるのが正しいという発想である。

交換的正義については、アリストテレスの踏襲以上のものがあり、それが二分法の確立に大きく寄与している。アリストテレスは、部分的正義には配分的正義と矯正的正義があると述べ、後者は、生じた利得・損害を算術的に均す（算術的比例による）正義、平等を回復する裁判官の正義であるとした。[7] そのうえで、応報的な関係における正義については、（幾何学的）比例に基づく応報が正しいと述べたため、[8] その位置づけをめぐって論争が起きた。対してトマスは、応報的な関係における正義こそ、算術的比例に基づくのだと考え、それを交換的正義と呼ぶ。

この考えを支えるのは、応報が、先行する能動に対して等しい受動が与えられることに存すると捉える見方である。[9] アリストテレスが交換行為を「比例に基づく応報」であるべきと捉えたのに対し、トマスは、算術的な中間性を回復する行為とみなす。5と5を所有していた二者がいたとして、一方が他方から1を得たならば、6と4になる。そこで、6をもった側が1を取り返されることで、正義が確立すると考えるのだ。[10]

このように、個別者(部分)相互の能動受動における正しさとして交換的正義を捉えるため、裁判官の位置づけはアリストテレスと異なることになる。トマスは、裁きが返還にも配分にも関わるゆえ、内容的には交換的正義にも配分的正義にも関わる行為だとしつつ、形式的には、1人から取り上げ、他の人に与えることであるから、裁判官の営みは、配分的正義の行為なのだと述べる。[11] そして、人間に関する事柄において、公的権力を行使する者しか強制的権力をもつことは許されないとする。[12] つまりは、個別者間の能動受動の次元に対して、上から権力を行使することができるような第三項として裁判官を捉えていることが分かる。それは、部分と部分との関係ではなく、全体と部分の関係なのである。

こうしたトマスの二分法は、後世に対して大きな影響力をもった。その一端は次節で紹介するが、さしあたりここで、人工知能に対する「全体恐怖」に関して、暫定的な見通しを示しておこう。

まず、量的全体恐怖に関しては、部分同士の関係において想定されていることからの逸脱を指摘できる。どの個別者も、有限の生をもった存在であり、何かをすれば、その報いを得るという想定があって、交換的正義を言うことの実質的な意味が生じると考えられる。人工知能を搭載し、全量的データに触れる機械が、人間と同一次元で応報的関係を取り結ぶイメージには違和感が残る。次に、質的全体恐怖については、より単純に次のように述べることができる。人工知能こそが、全体と部分の関係を指導する配分的正義の行為者たる地位を占める可能性への恐怖であると。

5. 社会契約論の枠組みに人工知能が抵触すること

前節末の見通しを受け、本節と次節で、人工知能に対する「全体恐怖」が、「既存のもの」である近代の社会原理にどう抵触するがゆえのものかを論じる。近代社会は、部分的な存在である諸個人が、部分的でしかあり得ないという点で平等だという前提に立脚している。それを体系的に説明したのが社会契約論であり、今なお社会設計の根幹をなす理論である。本節では、その始祖と目されるホッブズの議論を、前節でみたトマスの議論と関連づけて紹介し、ルソーの議論にも手短に触れる。次節では、ルソーの社会契約論を批判しつつ交換的正義の全面化を唱えたプルードンの議論を紹介する。社会契約論の誕生と、それに対する批判として提示された考えをみることで近代社会原理の輪郭を描き、「全体恐怖」の位置づけを明確化する。

ホッブズは、結ばれた信約を履行すべきという自然法について論じる中で、交換的正義と配分的正義の概念をもち出す。その前提となる議論からみよう。

まず、信約とは、契約者の一方が引き渡しをしたのち、他方がなすべきことを履行するまでのあいだに時間があり、その期間において相手を信頼しておくことを含む契約である。[13]ホッブズは、先行する信約のないところに不正はあり得ないと論じ、正義の起源を信約の成立に置く。だが、相互信頼だけでは不履行のおそれがある。それゆえ、強制的権力が要請され、処罰の恐怖が信約の不履行で得られるものよりも大きくなる必要があると議論を展開する。さらに、「正義とは各人に各人のものを与えようとする不断の意志である」という『学説彙纂（がくせついさん）』の定義を引用し、「自分のもの」、すなわち、所有権のないところには正義がないとも述べ、その所有権も、強制的権力の存在しないところには存在しないのだと主張する。[14]

こうした議論を支えているのが、社会契約の理説である。この議論に先立ち、ホッブズは「万人の万人に対する戦い」という言葉で有名な議論を展開している。要約すれば、自分の生命を防衛するために、どんな手段を用いてでも自己防衛するという権利を各々が放棄して政治共同体を形成し、その強制的権力にしたがうという理屈である。そうすることによって、身の安全と所有権とが確保されるのだ。[15]

さて、ホッブズが交換的正義および配分的正義をどう捉えたかをみよう。それはトマスの捉え方と大きく異なっており、その違いから、近代社会において定着する原則が浮き彫りになるような議論である。ホッブズは、トマスを念頭に、交換的正義が算術的比例に存するとされ、「買うよりも高く売ること」が不正義であるかのように言われてきたことを紹介する。そして、それを誤りとし、交換的正義とは「契約者の正義」、売買や貸借等の契約行為における信約の履行なのだと結論づける。つまり、契約通りに交換することに尽きるのだと述べる。他方、配分的正義については、「仲裁者の正義」、何が正しいかを決定する行為であると述べる。仲裁者が、彼への信用に応えて配分するならば、正しい配分になる。アリストテレスおよびトマスが述べたような「価値に応じた配分」という見方は斥けられる。[16]そうしてホッブズは、配分的正義は「公正(Equity)」と呼ばれる方が適切だとする。[17]裁きを信託された人物は、人々を平等に扱わなければならず、そうでなければ戦争状態に戻ることが危惧されると述べるのだ。[18]

ホッブズの議論に二つの新しさを見いだすことができる。まず、部分としての個別者間のやりとりにおける正しさは、当人たちが契約し、その通りに履行されることに尽きることから、契約者の自由が重視されている点である。次に、配分の正しさは、裁きを行う人物が人々を平等に扱うことに存するという点である。前者の「自由」が成り立つには、社会契約によって強制的権力が存在していなければならず、後者の「平等」が保持されなければ、社会契約が崩壊する。ここにみられる人間像は、自由の前提である身の安全や所有権が脅かされることを恐怖する人間、一つの身体でしかないという意味では平等であらざるを得ない人間というものである。そうした人間が、等しく自己防衛の権利を放棄することが強制的権力の根拠となるのだから、死や喪失を恐れる人間なくして「全体」を統治する強制的権力はあり得ないという発想だとも言える。

この社会契約の理説は、ルソーにおいて、いわば、より洗練されることになる。よく知られるように、共同体の成員の人格および所有を守るための結合の形式、しかも、各人が自由であり続けるための結合の形式を探ると、社会契約が答えになるとルソーは考える。社会の全構成員は、まったく同じ条件で、自分自身と、そのすべての権利を共同体の全体に譲渡する。全員が同じ条件ということは、誰も、特定の誰かに対して譲渡するのではない。すべての成員は、社会契約により、譲渡したのと同じ権利を受け取る。だから、自由を失うことはない。(19) こういってよければ、社会契約により、各人は、全体における部分として、自身と所有物の安全を確保する。こうして、安全が脅かされることを恐れる生身の人間だけが社会秩序を形成するという発想が完成したと整理することができる。

一つの身体、一つの生命をしか有さないという意味で平等な条件下にあり、それが守られてこそ人間は自由でいられるという社会契約論の根本思想は、現代社会の基本をなしている。このことを踏まえるならば、自由とも平等とも関係のないモノたる機械は、社会を構成する「部分」ではない。にもかかわらず、それが社会生活にコミットしていると捉えられることから、部分と全体をめぐる社会原理に抵触する存在に感じられると言うことができる。

それでは、正確に言って、人工知能に対する「全体恐怖」は、何にどう抵触していると捉えられるがゆえのものか。まず、量的全体恐怖に関しては、次のように考えられる。人工知能が、量的全体性に触れているとみなせるとき、それは優位性をもつだけではない。一つのものが欠如している。それは、時間性である。死を恐れる有限の生命である人間は、有限の時間の中で情報を得て、それを活用する。あるいは、子を生して、情報や所有物を次世代に引き継ぐこともある。対して、人工知能が蓄積されたデータの全体性に触れるとき、すべてを「現在」のうちに包括してしまう。人間的生命をもたないことが問題なのではない。生命であるとは時間を生きるということである。その「時間を生きる」ということを欠如させていることが問題である。人工知能がなす「学習」には時間がかかると反論されるかもしれない。だが、それは、学習が終わってから判断するのであり、学習しつつ判断するのではない。社会にコミットする「判断」の時点において、それは「過程」のうちに存在していない。

社会契約における「部分」としての各人は、それぞれ一定期間のみ社会に参加し、やがて離脱する宿命にあることから、時間的にも部分的な存在である。実際に政体がどれだけ持続するかは別として、権利上、社会全体および、それを統べる強制的権力は、超時間的な存在とみなされる。ホッブズにおいて時間幅を含む信約が強制的権力を要請するのは、それが少なくとも契約が履行されるまで永続するという想定あってのことである。社会の「全体」だけが超時間的な安定性をもち、そこにコミットする存在は時間的な存在として「部分」を生きる。この原則に抵触するがゆえの恐怖が量的全体恐怖なのである。時間性を欠き、その都度の現在をしかもたないがゆえに、部分たることに収まらない存在への恐怖である。そうした存在と、部分同士の関係を取り結ぶことが現時点で困難に感じられておかしくない。

質的全体恐怖については、次のように言うことができる。人工知能を搭載した機械が、時間を生きないという欠如ゆえに、社会契約の理説において、唯一永続的なものとみなされる社会全体および、それを統べる位置へと格上げされることからくる恐怖であると。超時間的であるという性格の共通性による格上げである。第3節で、それが国家に対する恐怖と比較できると述べた。社会契約論を踏まえるならば、国家の強制的権力は、部分たる各人の権利放棄に根拠が置かれている。部分なくして全体はない。対して、人工知能が社会全体における判断の正当性を根拠づけ、管理者の位置に立つというイメージにおいては、部分たる各人は根拠となっていない。やはり、社会契約論の原則に抵触するのである。そうした存在が配分的正義に関わるというイメージが、質的全体恐怖を生むのだ。

ハンナ・アーレントは、近代社会の官僚制を「無人支配(no-man rule, the rule of nobody)」と呼んだ。それは、統計学を主要な道具立てとした近代の経済学と同根である。アーレントは、そこにみられる画一主義を批判し、統計学的視点に立つと、人間固有の政治的活動が、単なる逸脱・偏差としてしか捉えられなくなるという危惧を表明した[20]。人工知能への恐怖も、この延長上にあると言える。官僚制であれば、個々の官僚もまた生身の人間であり、革命等によって身体と財産の安全を失う恐怖をもち得る。すると、人工知能への質的全体恐怖は、文字どおりの「無人支配」への恐怖だと言うことができるだろう。

6. 近代社会原理の基礎に人工知能が抵触すること

前節で論じるべきことはほぼ論じたが、次に、19世紀の社会思想家で、アナキストとして知られるプルードンが、ルソーの社会契約論を批判しつつ展開した議論をみる。社会契約論に対抗しようという思想であっても、近代社会原理の前提から逃れられないことを示すのが狙いである。

プルードンは、アナキズム的主張をもっとも強く展開した著書の中で、社会原理を配分的正義から交換的正義へと移行させるべきだと論じた。[21] 従来、セットで考えられてきた二つの正義を、一方から他方への移行という理説に変え、部分同士の関係だけから成る社会を構想したのだ。具体的には、個別者同士が互いに統治への野望を放棄し、一定の範囲と期限内で交換という「産業的力能」を組織化することに合意する実質的契約を結ぶことを提唱する。[22] そうして、プルードンは、アナキズム実現のため、即時全面的な裁判所廃止を主張する。[23] トマスやホッブズの議論に照らせば、これが「全体」に与る上位の次元の仲裁者の否定であること、それゆえに配分的正義の否定であることが明確に理解できる。

だが、そうした構想が実現する望みはほとんどない。強制的権力をもたないような共同体は、他の共同体との関係において、極めて脆弱である。ルソーは、社会契約により、所有権が共同体内部で尊重されるばかりか、外国人による侵害を共同体の全体で守ることができると述べていたのである。[24] もちろん、プルードンもそのことを承知している。それゆえ、個別者の自律的な契約が、やがては地球全体へと広がるべきだと考える。[25] 一つの共同体における擬制的な社会契約を否定する以上、個別者間の水平的な関係の連なりが、その外延を地球全体と等しくすることが論理的に要請されるのだ。

重要なのは、部分同士の関係の全地球化への望みが科学に託されることだ。「宗教や権威ではなく、科学が各国で社会の規準、諸利害の至上の裁定者となれば、政府は無価値となり、世界のあらゆる立法は一致する」[26]。このように述べるかぎりにおいて、プルードンは、すぐれて社会主義者であり、アーレントの言葉を借りれば、「無人支配」への志向を示しているとも言える。こうした世界は、実質的には、「至上の裁定者」としての科学者集団を要請せざるを得ない。科学もまた権力と同じく超時間的なものとしての規範性をもつ。しかもそれは、部分に根拠をもたない。部分同士の関係における交換的正義の全地球化を提唱したプルードンは、結局、科学をもち出すことで、裁定者の配分的正義を密輸せざるを得なかったのだ。規範性なき社会はあり得ない。それが部分に根拠をもつか、もたないかという違いがあるだけだ。

プルードンもそのことに自覚的であっただろう。後年、社会集団を「個別者」とした部分同士の関係により国家が構成されるという議論が展開される[27]。やはり交換的正義に基づいた社会像ではあるが、科学によって全世界の立法が一致するという発想は採られていない。そこで根拠となるのは、自らと他者とに同等の「人間的尊厳」を認めることを旨とする正義概念である[28]。尊厳を認め合う個別的な人間同士により形成される社会集団も道徳的な正当性をもっており、それらを単位として形成される国家も正当性をもち得るという発想である。

「尊厳(dignité)」という語は、トマスが用いた「重要性(dignitas)」を語源とする。万人に対して等しい人間的尊厳を認めるということは、万人を同じ重要性のものとして平等に扱うべきという配分的正義を唱えることに等しい。すると、ホッブズの主張と同型になる。科学の規範性を密輸するのを断念すると、社会契約論の基礎となる人間像に近接せざるを得ないのだ。結局のところ、社会契約論を批判しようという立場も、部分に根拠をもたせようとすると、有限な時間的存在であるという意味で平等な人間像に行き着くほかない。これこそが近代社会原理の宿命的前提なのだ。前節でみたように、人工知能はそれに抵触しているという印象をもたらす。社会哲学的観点からみて人工知能が恐れられる理由はここにあると結論づけたい。

7. おわりに

最後に、人工知能や自律機械に適切な社会的位置を与えつつ、既存の社会原理のオルタナティヴを構想するためのヒントを四つの観点から書きたい。

一点目は、「何が所有し、交換しているのか」という観点である。社会契約論で重視された所有権は、現代社会において法人格にも認められている。つまり、死を恐れる人間だけに認められたものではない。法人格が「部分」として所有し、交換するということは社会において何の疑いもなくなされていることだ。人工知能に関しても、電子法人格の議論が盛んになされている。[29] 人間との比較でみるからこそ、人工知能が社会原理に抵触する存在にみえるのであって、人間でないものとの比較でみれば、それがもたらす困難は乗り越えられる可能性がある。

そのことと関連する二点目として、「人間以外の何が交換的正義の関係に入り得るか」という観点である。前節でみたプルードンは、晩年に「連合主義」という思想を展開し、その中で、個人と国家との双務的な交換関係の可能性を模索している。国家を「全体」と捉えるのではなく、国家をも「部分」と捉え、部分同士の関係に落とし込むという発想である。[30] 実のところ、部分と全体の枠組みを提示したトマスにおいても、それに通じる議論がある。アリストテレスが、共有の財貨からの配分は、各人が「それに注ぎ込んだ分」に応じて比例的になされるべきだという議論を展開したことをうけて、[31] トマスは、奉仕した複数人のあいだの均等性の問題は配分的正義に属する事柄だが、共同体への奉仕に対する報いとして何かが与えられること自体は、能動に対する受動であり、交換的正義に属することと捉えるべきだと主張する。[32] この一点だけをみれば、奉仕者個人と共同体とが部分同士の関係に入る可能性が指摘されているとも言える。これらのことは、時間を生きる人間以外も「部分」として交換的正義の関係に入り得る可能性を示している。

三点目として、相互性という概念をどう捉えるかという観点である。社会には、契約関係に入らないが、相互的関係を取り結べる存在がいる。子どもがそうである。近代社会は、教育が重視される社会でもあった。「等しい人格の尊厳」を尊重しあい、信約を履行できる存在になるべく、公教育が施されてきた。教育が可能であるのは、大人と子どもとが相互性の関係を結べるからである。[33] 他方、子どもは、判断力が未熟とみなされ、契約行為の主体になれないという意味で、交換的正義の関係の一方としての「部分」に至っていない存在ともみなされている。こうした存在が社会にいることを土台に、相互性の関係をどこまで拡張して捉えられるかを考察することが、人工知能の位置づけをめぐる一つの鍵になる可能性がある。

最後に、社会契約論に「外部」が存在することをどう捉えるかという観点である。実のところ、社会契約論は、部分と全体という道具立てだけでなく、その外部が想定されている。具体的には、立法者についての議論が挙げられる。[34] ルソーは、法の作成者は立法権を有する人民であるべきではないと主張したのだ。人間に法を与えるのは神々でなければならないと述べ、古代ギリシアの多くのポリスや近代イタリアの諸共和国などで外国人に法を制定させる慣習が存在してきたと指摘するのは、この主張ゆえである。(35) このことは、人工知能が、人間と同等の「部分」として社会契約論の枠組みに収まらないからといって、社会契約論と矛盾するとまでは言えない可能性の一端を示す。「外部」として社会に関わる可能性もあるからだ。

以上まとめて、社会内部の「部分」としての人間の「大人」に比すべき存在として人工知能を捉えて優劣を問うような問題設定を脱け出し、現有の支配的な人間像を相対化することが次の課題だと言うことができる。

▲註▼

(1) 松尾豊『人工知能は人間を超えるか——ディープラーニングの先にあるもの』角川EPUB選書、2015年。
(2) 西垣通『AI原論——神の支配と人間の自由』講談社選書メチエ、2018年、26頁ほか。
(3) 小林雅一『AIが人間を殺す日——車、医療、兵器に組み込まれる人工知能』集英社新書、2017年、156頁ほか。
(4) アリストテレス『新版 アリストテレス全集〈15〉ニコマコス倫理学』神崎繁訳、岩波書店、2014年、188頁。
(5) トマス・アクィナス『神学大全〈18〉第2-2部(57-79問題)』稲垣良典訳、創文社、1985年、97頁。
(6) 同、100頁、143頁。
(7) アリストテレス、前掲書、192頁。
(8) 同、199頁。
(9) トマス、前掲書、109頁。
(10) 同、101頁。
(11) 同、155頁。
(12) 同、232頁。
(13) ホッブズ『リヴァイアサン〈1〉』水田洋訳、岩波文庫、1992年、222頁。

(14) 同、２３６−２３７頁。
(15) 同、２１７−２１８頁。
(16) なお、ホッブズは、価値については正義ではなく、恩恵（grace）によって報いられるものであると指摘している（同、２４５頁）。哲学史上重要な論点だが、本章の範囲を超える。
(17) 同、２４４−２４５頁。
(18) 同、２５０頁。
(19) ルソー『社会契約論／ジュネーヴ草稿』中山元訳、光文社古典新訳文庫、２００８年、39−41頁。
(20) Arendt, H., *The Human Condition*, University of Chicago Press, 1998(1958), pp. 40 – 42. なお、官僚制（「人間でできた機械」）と人工知能導入による文字どおりの「人間不在の官僚制組織」との連続性を指摘したものとして、稲葉振一郎『ＡＩ時代の労働の哲学』講談社選書メチエ、２０１９年、１２０−１２１頁。
(21) Proudhon, P.-J., *Idée générale de la Révolution au XIXe Siècle*, Slatkine, 1982 (1851), p. 186. なお、本節で紹介するプルードンの議論についての詳細は、拙稿「プルードンと社会契約論」『フランス哲学・思想研究』23号、日仏哲学会、２０１８年、１１６−１２７頁。
(22) *ibid.*, pp. 186 – 187.
(23) *ibid.*, p. 314.
(24) ルソー、前掲書、55頁。
(25) Proudhon, *op.cit.*, p. 292.
(26) *ibid.*, p. 334.
(27) Proudhon, P.-J., *De la justice dans la Révolution et dans l'Église*, tome2, Slatkine, 1982 (1860), pp. 258 – 259.
(28) *ibid.*, tome1, pp. 414 – 416.
(29) たとえば、木村真生子「ＡＩと契約」（弥永真生、宍戸常寿編『ロボット・ＡＩと法』所収、有斐閣、２０１８年、１３１−１６０頁）。
(30) Proudhon, P.-J., *Du principe fédératif et de la nécessité de reconstituer le parti de la révolution*, Marcel

Rivière, 1959 (1863), pp. 317 – 318.

(31) アリストテレス、前掲書、194頁。

(32) トマス、前掲書、111頁。

(33) これに関する議論として、拙稿「相互性について」『ひとおもい』創刊号、東信堂、2019年、164−185頁。

(34) 社会契約の外部とみなされてきたものとして、家父長制的家族を挙げることもできる。社会契約が成り立つ前提に「性契約」があるとする議論として、キャロル・ペイトマン『社会契約と性契約——近代国家はいかに成立したのか』中村敏子訳、岩波書店、2017年。自律機械を人間と比するならば、当然ジェンダーの問題も考察対象として重要である。

(35) ルソー、前掲書、87−91頁。

伊多波宗周　**いたば むねちか**

1979年、東京都生まれ。東京大学文学部卒業、東京大学大学院人文社会系研究科修了。博士（文学）。現在、京都外国語大学外国語学部准教授。専門は社会哲学およびプルードンを中心としたフランス社会思想。主要論文に「相互性について」（『ひとおもい』）、「プルードンと社会契約論」（『フランス哲学・思想研究』）等がある。また、共著・分担執筆に『哲学すること』（中央公論新社）、『社会はどう壊れていて、いかに取り戻すのか』（同友館）、『哲学への誘いⅢ　社会の中の哲学』（東信堂）等がある。相互性・交換の概念を主軸に社会秩序とその変化に関する研究を進めており、人工知能関連技術の社会実装化において、どのような人間観・社会観の更新があり得るのかを考察するべく、研究開発プロジェクトに参画している。

脱過労社会へ

第4章

知能社会における労働と所有

宇佐美 誠

1. 人類史のなかの労働

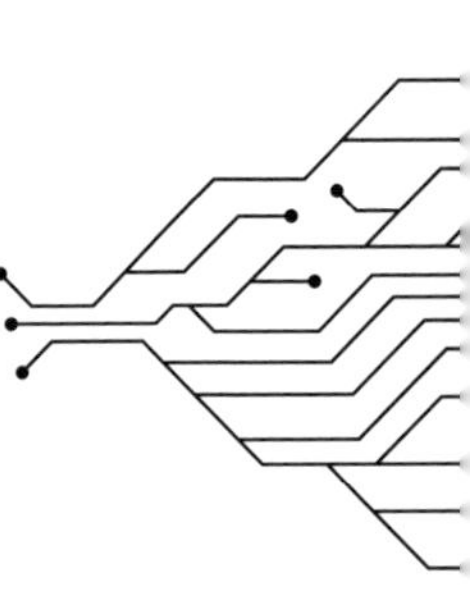

人類史のなかで、労働はどのように変遷してきたか。四つの段階に大別してふりかえってみたい。数十万年前、私たちの遠い祖先がアフリカの熱帯林から草原に出て以来、狩猟社会という第1段階が延々と続いた。人々は小さな集団を作り、男たちは斧などを手に大型動物を狩り、女たちは木の実・昆虫・貝類などを集めた。労働は、乳幼児を除くほぼすべての人々によって、等しく担われていた。

2万3千年前、穀物栽培が中東で始まり、その後に他地域でも起こって、農耕社会へと移行してゆく。農具をはじめ多様な道具が開発された他、家畜が用いられるようになった。集住が進行し、やがて国家が形成され、国王・貴族・領主などの富裕な不労階級が出現する。また、祈禱・占術、統治・司法、芸術・音楽、学術・教育など、さまざまな専門的職業が現れてきた。つまり、労働は、道具により効率化され、家畜の使用によって部分的に代替され、そして知識労働の出現を含めて多様化した。奴隷が過酷な重労働を強いられる一方で、支配者や有力者は労苦をまぬがれて不労所得を得ることができた。

18世紀後半のイギリス産業革命以来、工業社会への移行が欧米で進み、20世紀半ば以降には、この移行が非西洋地域へと広がった。工業社会では、一部の肉体労働が機械によって代替された。たとえば、19世紀初めのイギリスでは、紡績機や織機の普及により、糸つむぎや機おりが不要となり、また20世紀初頭のアメリカでは、自動車の普及によって、膨大な数の御者や馬丁が職を失った。他方では、紡績機・織機の操作者や自動車の運転手のように、新たな肉体労働の職種が現れた。さらに、さまざまな知識労働が必要とされて、ホワイトカラーが出現し増大していった。家産に頼る富裕な不労階級が縮小してゆく一方で、事業の成功・承継による富裕層は増大し、20世紀後半のアメリカでは超富裕層も出現した。

日本社会を含む先進諸国は、狩猟社会・農耕社会・工業社会に続く情報社会という第４段階にあるとしばしば言われる。また、日本政府は２０１６年、情報社会に続く段階として、人工知能（ＡＩ）とモノのインターネット（ＩｏＴ）による新たな社会像Society（ソサエティ） 5.0を打ち出した。だが、第４段階は、むしろ知能社会と呼ぶことができるだろう。現在までの情報化は知能社会の初期の小段階にすぎず、ＩｏＴはそれに続く小段階の一側面だと考えられる。知能社会では、ＡＩによる知識労働の代替が進むとともに、ＡＩが装備された多目的ロボットなどによる肉体労働の代替もいっそう広がってゆくだろう。実際、ＡＩ大失業への不安が人々の口の端に上るようになった。ＡＩや多目的ロボットの普及は大規模な長期的失業を引き起こすのではないかという不安である。

私たちが知能社会という人類史上の新段階の入口にいるとすれば、労働やそれと密接に結びついてきた所得は、近未来のわが国でどのように変化してゆくか。稼働年齢層の大半が現在と同じように働き続けるのか、限られた割合の人々が働くのか、あるいはほとんど誰も働かなくなるのか。労働の担い手の範囲が仮に大きく変わるならば、所得分布にはどんな変化が生じるか。また、この変化を踏まえて、どういった所有のあり方を構想するべきか。そして、その先にどのような社会を展望できるか。これらの問いについて、本章では、歴史的通観を縦糸に、日本と諸外国の比較を横糸にして私論をつむぎ出したい。

2. AI大失業は起こるか

経済学の主流である新古典派では、AI大失業の可能性は否定されてきた。その説明によれば、新技術の出現によって、新種の機械の製造にたずさわる職業や他のさまざまな職業が生まれる。また、新技術は商品価格を引き下げるから、需要が高まり、企業はそれに応じて供給を増やすため、より多くの人々を雇う。そして、AI大失業の予想は、労働需要がつねに一定だと想定してしまう労働塊の誤謬を犯しているとされる。この想定とは反対に、労働需要は現実には増減する。AI・ロボットは、ある職業では雇用を減らしても、別の職業ではそれを上回る雇用を生み出すから、長期的失業は生じないというのである。

新古典派経済学による理論的説明は、歴史的事実によって裏書きされているように見える。18世紀後半のイギリスでは、蒸気機関の発明と実用化によって、紡績機と織機が普及した。糸つむぎや機おりの熟練工は、自分の仕事が奪われることを恐れるようになり、ついには19世紀初め、機械の打ちこわし運動を各地で起こした。ラッダイト運動である。ところが、機械の普及は、製造作業員や操作者などの未熟練工の職種を生み出し、失業率は上昇するどころか低下した。その後も、技術革新が進む一方で、労働需要は長年にわたって上昇を示していた。こうした歴史的経緯に着目して、「ラッダイトの誤謬」という言葉が生まれる。AI大失業は、かつてラッダイトが抱いたのと同じく杞憂だというわけである。そして、ラッダイトの誤謬のもとになっているのが、労働塊の誤謬だとされる。

ところが、2010年代に入ると、AI・ロボットが大規模な長期的失業をもたらすだろうという論調が、急速に高まってくる。経済学者のエリック・ブリニョルフソンとアンドリュー・マカフィーは、デジタル化を、産業革命で始まった第1機械時代に続く第2機械時代として特徴づけた上で、これは社会全体に豊かさをもたらす一方、所得格差を大きく広げると指摘した。[1] また、起業家マーティン・フォードは、各種の統計資料や印象的な逸話を織り交ぜながら、ロボットがやがて大失業と格差拡大をもたらすと説得的に論じた。[2] より最近には、グローバリゼーションの専門家リチャード・ボールドウィンが、グローバリゼーションとロボットの発展が組み合わさったグローボティックスによって大変動がもたらされると予想し、それへの反動を警告し、処方箋を提案している。[3]

これに関連して、職種の消滅可能性の大規模推計が、相次いで行われてきた。先駆となったのは、経済学者のカール・フライとマイケル・オズボーンによる報告書である。[4] 彼らは、アメリカの702職種を対象として、コンピュータ化(自動化)される確率を推計した。結果は、47%もの職業が自動化の高いリスクにさらされるという衝撃的なものだった。[5] 同じ手法を日本に適用した研究によれば、アメリカを上回る55%が高いリスクにさらされる。[6] 世界全体についてはどうか。マッキンゼー・グローバル研究所の報告書は、アメリカの約800の職種に含まれる約2000種の活動について、自動化される確率を計算した上で、同様の手順を他の45カ国にも適用した。[7] その結果によれば、世界の60%以上の職種では、各職種を構成する活動の少なくとも30%が自動化され得る。2055年までに、職業的活動の半数が自動化され得るが、さまざまな要因によって、最大20年も早まったり遅くなったりするという。

多くの人々が製造業に従事し、労働組合が強固であるドイツでは、フライらの報告書は大きな衝撃をもって受け止められ、不安や反発が高まった。こうした労働界の動向を背景として、ある経済学者グループが推計を依頼される。彼らは、性別・年齢・学歴等の人口統計データを用いた分析を行い、職種消滅のリスクの下にある雇用は、ＯＥＣＤ（経済協力開発機構）加盟国の平均値で９％にとどまるとした。[8] この結果は、ドイツをはじめ多くの国の人々を安心させたが、人口統計データの使用は推計に適切ではないというフライらの批判を招くことになった。

アメリカでＡＩ大失業の可能性を否定する代表的な経済学者は、デイヴィッド・オーターである。[9] 彼は、労働人口が次第に高技能・高収入層と低技能・低収入層に二極化してきたと指摘しつつも、この現象は今後は続かないだろうと予想する。そして、ＡＩは労働者の代替だけでなく補完もすることを強調して、失業増加を否定している。オーターの議論にはいくつかの理論的問題点があるが、ここでは一点だけ指摘しておこう。彼が念頭におくのは、現在の技術水準をかなり下回ったＡＩではないかと疑われる。たとえば、入力層と出力層の間に中間層を設けた階層型ニューラルネットワークが、２０００年代に提案され、多層化した中間層を活用するディープラーニング（深層学習）が広く利用されている。これによって、正解データを与えることなく試行錯誤を通じて訓練が行われる強化学習が、劇的に発展してきた。この深層強化学習により、多種多様な知的職業での活動について、ＡＩは、労働者の業務遂行記録をごく短時間で学習した上で、労働者に代わって業務を行いつつある。このような先端的技術をオーターは認識していないようだ。[10]

ＡＩ・ロボットは失業を招く一方、それを上回る規模で職を生むはずだという新古典派経済学の主張は、本当に正しいのだろうか。この問いに取り組む際、ダロン・アセモグルとパスクワル・レストレポの最新論文が、よい手がかりを与えてくれる。[11] 彼らは、産業用ロボットが一方では雇用を減少させるが、他方ではいくつかの経路で雇用を増加させるという想定から出発する。その上で、アメリカ全土を数多くの通勤圏に分割して、１９９０年から２００７年までに産業用ロボットが労働市場に与えた影響を計測している。各通勤圏で労働者１０００人当たり1台のロボットが導入されると、６・５人の労働者が代替されていた。では、他の通勤圏、さらには他の地方での影響はどうだろうか。ロボット一台の導入は、全米で３・３人の労働者を減少させることが分かったのである。たしかに、ＡＩやそれを実装した多目的ロボットが、アメリカを含む先進国や続いて新興国で、労働需要にどのような影響を与えてゆくかについては、今後の研究が待たれる。それでも、アセモグルらの結果は、ＡＩ・ロボットが雇用を減らす一方で、それを上回って雇用を増やすはずだという主張を大きく揺るがすものだ。

私は長年、世代間正義を研究テーマの一つとしてきたが、そのなかで未来の不可知性を強調してきた。未来の不可知性を真剣に捉えるかぎり、ＡＩ・ロボットが近未来に大規模な長期的失業をもたらすかという問いには、次のように答える他はないと考える――現在の私たちには分からない。これが正しいならば、ＡＩ大失業の可能性を言下に否定することはできないはずだ。しかも、最近10年間の専門家の見解や大規模推計、さらには産業ロボットに関する研究は、ＡＩ大失業が単なる杞憂でないことを示唆している。私たちは、自動化による大規模な長期的失業が生じる可能性を見越した上で、近未来の労働のあり方を考えるべきなのだ。[12]

3. 過労社会・日本

ＡＩ大失業が仮に発生するならば、それは悲惨なことだと広く信じられている。実際、英語圏では、その発生を予想する論者は悲観派と名づけられ、これを否定する論者は楽観派と呼ばれる。いまこの本を読んでいるあなたも、ＡＩ大失業はぜひとも避けるべき事態だと考えているだろう。だが、ＡＩ・ロボットが多くの労働者に代替するのは、本当に惨事なのか。むしろ、労働からの解放として捉えなおせないだろうか。ここで、私自身は自分の仕事におおむね満足していることを、まず告白しておかなければならない。その上で、仕事に不満な人はもちろん、満足している人にとっても、労働しないか短時間だけ労働することは理にかなった一つの生き方になり得ると、本節で論じるつもりである。

人類史のなかで、平均的な労働時間はどのように変遷してきたか。人類学では、現代でも狩猟・採集生活を続けている人々に関するデータをもとに、太古の狩猟社会での生活実態が推定されてきた。労働時間は1日3～4時間だったとされており、年間で１２８０時間にすぎない。農耕社会の段階ではどうだったか。史料が他地域よりも豊富なヨーロッパに目を向けよう。中世の農民は、農繁期には1日8時間働いたが、農閑期や雨天日には農作業がないのに加えて、大小さまざまな宗教上の祝日があった。そのため、国や地域によって異なるが、労働日は１８０日前後だったとされ、年間では１４４０時間となる。その後、手工業の発達にともなって、労働時間は次第に長くなり、労働日も増えてゆく。世界で最初に工業社会への移行が始まった19世紀のイギリスでは、工場労働者はじつに1日15時間、３１０日も働いた。年間で４５６０時間に達する。このように非人間的な長時間労働は、欧米では20世紀を通じて短縮されてきた。

では、現在はどうか。ＯＥＣＤの調査によれば、加盟国中で労働時間が最も短いドイツ・オランダ・北欧諸国だけが、１４４０時間を下回っている。工業社会への移行の初期に急激に伸びた労働時間が、近年ようやく中世の農業社会と同じ水準まで戻りつつあるわけだ。

日本の労働時間は、ＯＥＣＤ加盟国のなかでかなり長い。厚生労働省が事業所（企業）を対象に行っている調査では、２０１９年時点で１６７０時間である。事業所は、残業代支払いの基礎として把握した労働時間を回答するから、管理監督者や裁量労働制の対象者による残業時間は、ここに含まれていない。これらの種類の労働者は、一般労働者よりも実質的にかなり長く働いているので、労働者全体の時間は調査結果よりも長いだろうと言われる。また、総務省は世帯（労働者）を対象とした調査を行っているが、２０１９年で１８７０時間に上る。これは、韓国より短いものの、ギリシアを除いたどのヨーロッパ諸国の労働時間よりも長く、17世紀フランスの下層職人の労働時間に匹敵する。そして、厚生労働省調査と総務省調査の間にある大きな差のかなりの部分はサービス残業だろうと、専門家たちは推測している。

このように長い労働時間は、有給休暇の低い取得率とも相まって、過労死・過労自殺やうつ病などの背景となってきた。２０１８年に、脳・心臓疾患や精神障害の労災請求件数は約２７００件もあり、支給決定件数は７００件を超えた。他方、残業の理由に関する民間企業の調査では、複数回答が可能な選択肢のうち、「遅くまで働くことが良いと思われる雰囲気がある（上司が帰るまで帰りにくい等を含む）」と「残業手当が欲しいため」が、それぞれ10％前後を占めた。他の調査でも、これに似た結果が出ている。

長時間労働は労働生産性を低下させる。１９２６年、自動車メーカーのフォード社は、アメリカで初めて週休2日制を採用した。一つの理由は、週当たり労働時間の短縮が生産性を向上させると判明したことにあった。それから90年以上を経た現在、日本社会は生産性の低さに悩まされ続けている。２０１８年時点で、日本の就業者1人当たり労働生産性と就業1時間当たり労働生産性は、いずれもアメリカの約6割にすぎず、トルコをわずかに上回る水準である。主要先進7カ国では１９７０年以来、1人当たり労働生産性は、短い一時期を除いて最下位が続いている。1時間当たり労働生産性にいたっては、過去50年間に最下位から脱したことがない。製造業では、他業種と比べて1人当たりの労働生産性が高いが、そのおもな要因は自動化だとされる。自動化によって生じた余剰人口が、他業種に移動していったため、生産性の高い製造業に従事する労働者の割合は、ますます減少している。結局、他の先進諸国よりも生産性の低い労働が長時間行われているのが、多くの職場の実態である。

ここまで読んだあなたは、労働時間が長くても生産性が低くても、大半の労働者が仕事に満足しているならば、それでよいではないかと感じるかもしれない。そこで、仕事の満足度を見てみよう。オランダのラントシュタット・ワークモニターは、34カ国を対象とした調査を行っている。２０１9年の第4回調査で、自分の仕事に満足している人は、インドで89％、アメリカで78％、ドイツで74％だった。これらの国と対照的に、日本は42％で最下位である。仕事に不満な人は、インドで3％、アメリカで6％、ドイツで9％だが、日本では21％と突出して多い。多くの人が仕事に満足できないのに転職しないのは、経済的な見返りへの期待が大きいからだろうか。そうではない。調査時点で年度末の昇給を期待している人は、インドで94％、アメリカで68％、ドイツで57％いたが、日本では30％にすぎず、34カ国平均の半分にも満たなかった。

人間の能力や資力には目もくらむような個人間格差がある一方で、あらゆる人に等しく与えられているものがある。単位期間あたりの時間である。誰にとっても、1日は24時間である。この単純だが不変の事実を改めて見つめるならば、多くの人が仕事に満足できないまま、長時間にわたって、生産性の低い労働を続けているというわが国の現状は、本人にとっても、勤務先にとっても、そして社会全体にとっても望ましくないだろう。こうした閉塞状況を打破して、多くの人々を労働から解放できるのが、ＡＩ・ロボットに他ならない。機械が人間よりもはるかに短時間のうちに効率的かつ正確に行える作業は、機械にゆだねる方がよいのではないか。そうすれば、私たちは、これまで仕事に追われていた時間の全部または一部を、家族との団欒、友人との交際、趣味や生涯学習、ボランティア活動などに費やすことができる。労働しないか、あるいは短時間だけ労働することは、多くの人にとって理にかなった一つの生き方となる。

4. 新たな所有のあり方へ

近未来の知能社会で多くの人が労働から真に解放されるためには、働かなくても貧困にならないという保証が不可欠である。各個人に着目するならば、生計を維持するための唯一の手段が労働であるかぎり、たとえ仕事に満足していなくても、経済的に必要ならば長時間でも働かざるを得ない。また、社会全体に目を移すと、ＡＩ大失業が起こるならば、稼働年齢層の大半の人が働いていない無職者社会ではなく、むしろ二極化社会になると予想される。一方の極には、ＡＩ・ロボットから大きな便益を得る企業経営者や高技能・高収入労働者などの少数の高所得者がおり、他方には、ＡＩによって代替された中技能・中収入労働者や、自動化に取り残されて雑多な作業を行う低技能・低収入労働者をふくむ多数の低所得者がいる。こうした二極化を防ぐための抜本的対策がとられないかぎり、低所得者は、貧困にならないために長時間でも働くしかない。このように考えると、労働からの解放を可能とする条件を考えるためには、所得再分配や所有原理と正面から向きあう必要がある。そこで、本節では、政治哲学・道徳哲学での分配的正義論から説き起こし、所得保障の二つの制度案を比較した上で、新たな所有原理を提案したい。

分配的正義論では、人々の間で便益や負担をどのように分けると正義にかなうかが研究されている。おもな論点の一つは、所得再分配は何を目標とするべきかである。すぐに思いつく答えは、平等、すなわち個人間に格差がないことだろう。この答えが理論化された平等主義によれば、個人間の格差が大きいほど、その状態がもつ価値は小さくなる。この平等主義に対抗して現れた十分主義は、あらゆる個人が十分性の閾値まで等しくもつことを要求する一方で、閾値を超えた領域ではどのような再分配にも反対する。では、閾値をどこに設定するべきか。代表的な十分主義者たちは、かなり高い閾値を想定してきた。たとえば、哲学者のハリー・フランクファートによれば、ある個人が十分性にいたるのは、その個人が現にもつよりも多くをもつことを望まないか、あるいは望まないのが理にかなうときである[13]。

従来の高い閾値の想定には、少なくとも二つの問題点がある。第一に、人間の生には二つの側面があると考えられる[14]。一つは、自分の生活や人生について選択し修正し追求してゆくという主意性である。もう一つは、生存・生活・人生が自然環境や社会環境によって左右されるという脆弱性である。社会制度は、諸個人の主意性を尊重するとともに、特に脆弱な集団を救援するよう求められる。ところが、各人の選択を問わず、高い閾値まで一律に保障してしまうならば、主意性を尊重しているとは言えないだろう。第二に、資源の稀少性、とくに限られた政府予算の下で、高い閾値までの所得再分配を求めることは現実的でない。国全体ではきわめて豊かなアメリカでさえ、すべての家族がガレージ・庭付きの一戸建てに住むことは、とうてい不可能だろう。

むしろ、十分主義者が想定するよりも低く設定された閾値までの保有をすべての個人に保障するのが、より望ましい。まず、人間の基底的ニーズについて、食料・衣服・シェルター・基礎的医療等からなる生存水準と、それらに教育や余暇などを加えた品位水準とを区別できる。この品位水準まで基底的ニーズが満たされるように、閾値を設定するのである。私はこの立場を十分主義から区別して、保障主義と呼んできた。保障主義は、低い閾値よりも下方にいる経済的にとりわけ脆弱な人々を救援して閾値まで引き上げると同時に、あらゆる人の主意性を尊重することができる。

近未来に起こるかもしれないＡＩ大失業に備えて、保障主義をどのように制度化してゆくか。この論点を考える出発点として、わが国の生活保護制度を見てみよう。この制度では、収入が最低生活費に満たない世帯は、つぎの４条件を満たすならば、給付を受けられる。①預貯金等を生活費に充てること、②働ける人は働くこと、③年金などをまず活用すること、④親族等からの援助を可能なかぎり受けることである。

４条件に表れている条件付き所得保障は、閾値までの無条件所得保障を要求する保障主義の立場からは支持できないものだ。その上、現行の生活保護制度にはいくつかの難点がある。ここでは三つを取り上げよう。第一に、捕捉率、すなわち所得が受給基準を下回る世帯のなかで受給世帯が占める割合は、わが国では20％前後ときわめて低い。つまり、救援を必要とする脆弱な人々の多くが、それを受けていないのだ。第二に、受給資格を判定するためには、多額の行政費用が必要となる。ＡＩ大失業が起これば、受給申請が大幅に増加するから、各種の行政費用はいっそう深刻な問題となるだろう。第三に、自治体の間に見られる捕捉率のばらつきは、平等の観点から見過ごせない問題である。

生活保護制度のさまざまな難点を避けられる無条件所得保障として、どのような制度案があるか。古くから知られているのは、負の所得税である。この税制案では、基礎控除額を下回る収入の世帯に対して、マイナスの課税つまり現金給付が行われる。たとえば、控除額３００万円で税率50％だとすると、年収１２０万円の世帯は、３００万円から１２０万円を引いた差の50％、つまり90万円を受け取る。負の所得税では、各世帯の所得だけをもとに給付が行われるから、経済的に脆弱な世帯は確実に受給できる。また、受給資格を判定するための行政費用や、自治体による捕捉率のばらつきも生じない。ブリニョルフソンとマカフィーは、ＡＩによる格差拡大への処方箋として負の所得税を推奨している。[15]

近年に多くの支持を集めているのは、ベーシック・インカムである。この制度では、すべての個人が所得を問わず一定額を受給する。たとえば、日本に生活の本拠をおくすべての人が、毎月10万円を受け取るという具合である。ベーシック・インカムでは、政府の国民全体に対する給付額が、負の所得税よりもはるかに大きくなるから、それをまかなうのに必要な課税総額も、大幅に増大する。受給資格の判定費用や捕捉率のばらつきは、負の所得税と同様に生じない。この制度を熱烈に唱えるジャーナリストのルトガー・ブレグマンは、ＡＩ失業への対策にもなると述べている。[16]

保障主義の観点からは、負の所得税とベーシック・インカムのうち、どちらがより望ましいか。負の所得税は世帯単位で給付されるのに対して、保障主義は個人単位での給付を要求する。そのため、負の所得税は個人単位に再構成されなければならない。その上で、基礎控除額が、経済的に脆弱な人々を救援できる水準に適切に設定されるならば、負の所得税は保障主義の制度化として有望である。他方、ベーシック・インカムの下で、脆弱な低所得者が給付を受けることは、保障主義によって正当化される半面、高所得者までも給付を受けることは、正当化されないだろう。

だが、保障主義を離れると、特に日本の状況では、ベーシック・インカムは、負の所得税にない三つの利点をもつと思われる。第一に、就業形態の違いによる課税所得の捕捉率の格差に着目しよう。かつては「クロヨン」（捕捉率が、給与所得者90％、自営業者60％、農家40％）、さらには「トーゴーサン」（給与所得者100％、自営業者50％、農家30％）と言われた。捕捉率の格差は近年には縮小しているようだが、なおも解消されていない。負の所得税では、捕捉率の格差が受給格差に直結するのに対して、ベーシック・インカムでは、捕捉率の格差は納税格差をもたらすものの、受給格差を生まない。この点で、ベーシック・インカムは負の所得税よりも公正である。第二に、負の所得税では、控除額をわずかに上回る低所得層には、給付を得るために収入をいつわる強い誘因が生じる。それに対して、ベーシック・インカムでは、低所得者層にこの種の誘因が生じない。第三に、近年、貧困は本人の怠惰のせいだとみなす自己責任論が根強く、生活保護世帯に対して冷笑的な人も少なくない。このような風潮の下では、負の所得税の導入は、市民の間での受容可能性がきわめて低いだろう。他方、誰もが一定額を等しく得られるベーシック・インカムは、負の所得税よりは受容可能性が高いかもしれない。

ベーシック・インカムに対しては、いくつかの批判が出されてきた。政府の財政負担が莫大になるという批判に対しては、別所で応答を行ったので[17]、ここでは繰り返さない。他のよく知られた異議は、この制度が労働への誘因を与えず、経済を停滞させかねないというものだ。次のように応答したい。先ほど述べたように、ＡＩ大失業に対応して強力な所得再分配を行わないならば、ＡＩ・ロボットを活用できる経営者や高技能労働者と、活用できない無職者や低技能労働者とに分かれた二極化社会が現れると予想される。

そこで、次の問いが重要となる。高い労働生産性をそなえた経営者や高技能労働者にとって、低額の給付金は労働への誘因を大きく減退させるか。答えはノーだろう。これらの人々は典型的には高所得者だから、低額の不労所得が労働意欲をそぐ程度は、かなり限定的だと考えられる。しかも、彼ら・彼女らのなかには、収入を得るための道具的価値だけでなく、働きがいなどの内在的価値も重視している人が少なくないと予想される。そうだとすれば、給付金が労働に与える影響は、いっそう限定的となる。

負の所得税やベーシック・インカムという個別制度の根底には、労働と所有はどのような関係にあるべきかという大きな問いが横たわっている。狩猟社会では、ほぼすべての人が等しく労働し所有した。農業社会では、富裕な不労階級が現れたが、工業社会に移行するにつれて、ほぼすべての男性が労働するようになり、女性はアンペイドワークを担わされるとともに、所得格差が広がった。20世紀後半には、勤労女性が急増して、いっそう多くの人が労働にたずさわると同時に、比較的高い所得をもつ中産階級が出現し増大していった。ところが、知能社会にいたって、所得格差がかつては見られなかったほどに拡大しつつある。このような歴史的変遷も踏まえて、保障主義にもとづき、労働／所有の部分的切断原理を唱えたい。基底的ニーズの品位水準の閾値以下では、労働の有無を問わず、万人に所有が保障される。他方、この閾値を超えると、労働は、売買や相続とならぶ所有の重要な根拠となる。つまり、所有は、閾値までは労働から切断されるが、閾値を超えれば労働と連接されるのである。このように、労働から独立した基底的所有と、労働にも相応した追加的所有からなる二重構造モデルを構想できる。こうした立場を、二層所有論と呼べるだろう。

5. 脱過労社会に向かって

「働こうとしない者は食べてはならない」（『テサロニケの信徒への手紙 2』3・10）。この格言は、古代のつつましい農業社会で、他人の勤勉へのただ乗りを禁じるものだった。その後も、農業社会のキリスト教文化のなかでたびたび持ち出された。さらに、工業社会への転換が遅れたロシアでは、ウラジミール・レーニンによって称揚され、旧ソビエト連邦の1918年憲法（レーニン憲法）に明記された。それから100年を経て、この格言よりも過酷な「働かない者は食べてはならない」という精神が広く深く浸透している国が、世界のなかにある。日本である。AIが職を奪うという不安の高まり（第1節）、低い満足感にもかかわらず続く長時間労働（第3節）、そして生活保護世帯を冷ややかに見る自己責任論（第4節）の背後には、労働しないかぎり消費してはならないという強迫観念が見え隠れする。だが、「働かない者は食べてはならない」は、重度障碍者・病弱者・高齢者など、働けないので働いていない人々に対して、基底的ニーズを満たす道徳的権利を否定するものである。その上、自動化によって多くの労働が仮に不要となれば、「働こうとしない者は食べてはならない」さえ、説得力を失うだろう。

働かない者にも食べる権利を保障するためには、所有と労働が部分的に切断され、基底的ニーズを品位水準まで満たすために必要な所得が、万人に保障されなければならない。このとき、社会のあり方は大きく変容するだろう。三つの変化を取り上げたい。第一に、一定の所得が保障されるならば、低賃金で不安定な非正規雇用の職についている人々は、無収入に陥るという不安から解放される。その結果、業務内容や職場環境に満足できる他の仕事に移り、労働と余暇のバランスを図り、家族とすごす時間を増やし、趣味を楽しみ、学習や習い事を行い、あるいはボランティア活動を始めることができる。

第二に、家事・育児・介護など、家庭内のアンペイドワークの担い手は、女性に大きく偏ってきた。それに加えて、共働き世帯が多い近年、労働とアンペイドワークの両方に追われる女性は少なくない。給与をおもな課税対象とする所得税が徴収され、その税収を活用して無条件所得保障が実施されるならば、アンペイドワークが間接的に報われる。これは、ジェンダー的不公正を緩和することになる。

第三に、少子高齢化と人口流出に悩む農村部では、都市部からの若年層・壮年層の移住に対する期待が高まっている。無条件所得保障は、都市部で現在の仕事に不満をもつ人や、新天地で新たな可能性を試したいと考える人に対して、故郷に戻るUターンや、故郷でない農村部に移るIターンへのきっかけを与えるだろう。これは、過疎化が進行してきた個々の地域社会にとって朗報であるだけでなく、日本全体が一極集中型社会から地方分散型社会へと変容してゆく第一歩となり得る。

人類史の大半を占める狩猟社会の時代には、私たちの祖先は、貧しく汚く危ない生活を送っていたが、しかし日々の時間はいまよりもゆっくり流れていた。農業社会になると、富裕な不労階級と貧困な農民・職人階級との分化が生じたが、それでも人々にはまだふんだんな余暇があった。工業社会への移行の初期には、人類史上で最も長い労働時間が見られたものの、その後の1世紀以上を経て、欧米諸国は、先祖が中世に得ていた余暇の長さをようやく取り戻しつつある。他方、日本では韓国とともに、十分な余暇の回復への道はなお遠い。

私たちがすでに足を踏み入れている知能社会の時代には、やがて多くの労働が不要になるかもしれない。これが生業の剝奪ではなく、労苦からの解放を意味するためには、労働／所有の部分的切断原理を唱える二層所有論にもとづいた無条件所得保障の制度が不可欠となる。近未来の日本は、AI・ロボットから大きな便益を得る富裕層と、負担をかかえる貧困層が隣り合うディストピアとなるのか。あるいは、誰も経済的な脆弱性に悩まされず、あらゆる人が主意性を発揮できるユートピアとなるのか。[18] それは、私たちがどのような所有のあり方をめざすか、そしてどんな社会制度を創ってゆくかにかかっている。

◆註◆

(1) エリック・ブリニョルフソン＝アンドリュー・マカフィー『ザ・セカンド・マシン・エイジ』村井章子訳、日経BP社、2015年。

(2) マーティン・フォード『ロボットの脅威──人の仕事がなくなる日』松本剛史訳、日本経済新聞出版社、2015年。

(3) Richard Baldwin, *The Globotics Upheaval: Globalization, Robotics, and the Future of Work*, Oxford University Press, 2019.

(4) この報告書は、後に学術誌上で公刊された。Carl Benedikt Frey and Michael A. Osborne, "The Future of Employment: How Susceptible Are Jobs to Computerisation?" *Technological Forecasting and Social Change* 114: 254–280 (2017).

(5) わが国には、フライとオズボーンが、自動化によって新たな雇用が生まれる可能性を考慮していないことを理由に、彼らの結果を批判する例が見られる。しかし、これは単純な誤解に基づく。フライらは、各職種が自動化により消滅する蓋然性を推計したのであって、自動化による長期的失業の規模を推計したわけではない。

(6) Benjamin David, "Computer Technology and Probable Job Destructions in Japan: An Evaluation," *Journal of the Japanese and International Economies* 43: 77–87 (2017).

(7) James Manyika et al., *A Future That Works: Automation, Employment, and Productivity*, McKinsey Global Institute, 2017.

(8) M. Arntz, T. Gregory, and U. Zierahn, "The Risk of Automation for Jobs in OECD Countries: A

Comparative Analysis," *OECD Social, Employment and Migration Working Papers* 189 (2016).

(9) David H. Autor, "Why Are There Still So Many Jobs? The History and Future of Workplace Automation," *Journal of Economic Perspectives* 29(3): 3–30 (2015).

(10) オーターの議論がもつ他の難点については、e.g., John Danaher, ***Automation and Utopia: Human Flourishing in a World Without Work***, Harvard University Press, 2019, pp. 40–48.

(11) Daron Acemoglu and Pascual Restrepo, "Robots and Jobs: Evidence from US Labor Markets," *Journal of Political Economy* 128(6): 2188–2244 (2020).

(12) 未来の一般的不可知性に加えて、ＡＩの労働への影響を厳密に測定することをはばむ諸要因もある。この諸要因は、ブリニョルフソンとオーターがともに共著者に加わった次の論文で検討されている。Morgan R. Frank et al., "Toward Understanding the Impact of Artificial Intelligence on Labor," *Proceedings of the National Academy of Sciences* 116(14): 6531–6539 (2019).

(13) ハリー・G・フランクファート『不平等論――格差は悪なのか？』山形浩生訳、筑摩書房、２０１６年、51頁。

(14) 宇佐美誠「グローバルな生存権論」同編『グローバルな正義』勁草書房、２０１４年、７–８頁。宇佐美誠「ＡＩ・技術的失業・分配的正義」同編『ＡＩで変わる法と社会――近未来を深く考えるために』岩波書店、２０２０年、１００–１０４頁。

(15) ブリニョルフソン＝マカフィー『ザ・セカンド・マシン・エイジ』３７６–３８１頁。

(16) ルトガー・ブレグマン『隷属なき道――ＡＩとの競争に勝つベーシックインカムと一日三時間労働』野中香方子訳、文藝春秋、２０１７年、第８章。

(17) 宇佐美「ＡＩ・技術的失業・分配的正義」前掲書、１０７–１０８頁。

(18) 自動化が労働を時代遅れにする近未来をユートピアと捉える野心的議論として、Danaher, ***Automation and Utopia***.

謝辞
本稿は、科学研究費・挑戦的研究（萌芽）「人工知能社会における正義と自由」（研究課題番号19K21676）の成果の一部である。校正の際には、リサーチ・アシスタント服部久美恵さんの助力を得た。

宇佐美 誠 うさみ まこと
1966年、名古屋市生まれ。名古屋大学法学部卒業、同大学大学院法学研究科博士課程（前期）修了。博士（法学）。中京大学法学部教授・東京工業大学大学院社会理工学研究科教授等を経て、2013年より京都大学大学院地球環境学堂教授。
専門は法哲学。最近の主要業績に、『法哲学』（有斐閣・共著）、『正義論――ベーシックスからフロンティアまで』（法律文化社・共著）、『気候正義――地球温暖化に立ち向かう規範理論』（勁草書房・編著）、『AIで変わる法と社会――近未来を深く考えるために』（岩波書店・編著）がある。
近年は、分配的正義の理論分析と、その応用的領域であるグローバル正義・世代間正義・気候正義・移行期正義などの研究を進めている。

第5章

哲学の忘却

人工知能における心・意識・所有

山蔦真之

1. はじめに――人工知能研究と哲学

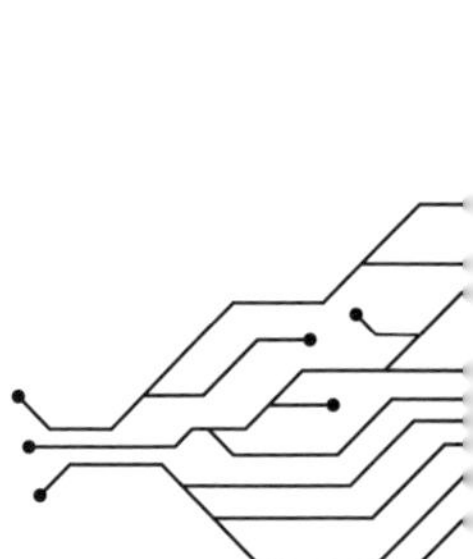

今日、社会からもっとも関心をもたれている学問領域の一つが人工知能研究であることは疑いないだろう。2010年代より始まったと言われる「第3次人工知能ブーム」につながった工学的展開を通じて、人工知能研究が、経済的な影響は言うに及ばず、諸学問の格段の進歩や、それどころか人類の新たな一歩をもたらすのではないかということがまことしやかに予想されている。人工知能が人類をどこに連れて行くのか、人々は期待や不安と共にそれを語っている。

人工知能をめぐる喧騒の中、学問としての哲学もまた、人工知能研究に対して何らかの態度表明をすることが求められているとしばしば言われる。それによれば、人工知能が社会に本格的に進出する今こそ、哲学や倫理学がその役割を果たさなければならない。「心の哲学」と呼ばれる領域において扱われてきた意識や脳をめぐる問いや、人工知能が社会に与える影響の倫理学的考察を、哲学は社会に向けて発信すべきであるという声が学問の世界の内外で聞かれる。しかし他方、人工知能研究や脳科学の最先端の実状に通じない哲学研究者が、外野から何かを言うことに意味があるのかという疑問の声も少なくない。それどころか、人工知能研究や脳科学こそが心や意識についての真理を解き明かし、倫理的な諸問題にすら回答を与えてくれるのだから、もはや伝統的な哲学・倫理学は不要であるという意見までが存在する。このような状況にあって、哲学は人工知能の問題と取り組むにあたり、あらためて自らの立ち位置を定める必要があるように思われる。

本章では、人工知能をめぐって古くから議論されている三つの問題をあらためて取り上げることで、哲学が人工知能の発展に対してどのような立場をとり得るのかを考察してみたい。三つの問題とは、「人工知能とは何か」、「人工知能における心や意識」、そして「人工知能における労働と所有」というものである。これらの問題は人工知能をめぐって哲学が、現在のブームを迎える以前から議論している事柄であるけれど、哲学の人工知能研究への関わり方を考えるため、それらに今一度立ち戻ることが有益だと思われるのである。

2. 人工知能とは何か

「人工知能とは何だろうか」――。近年、さまざまな所で発せられるこの問いには、しかし、ある決まった回答が用意されている。それは、「この問いに対する答えはない、なぜなら『知能とは何か』という問いに対する答えがないのだから」というものである。「知能とは何か」という問いについて諸学問が、とりわけ哲学が２０００年以上かけても答えることができなかったのであれば、この問いに対する答えを探究することには何の利益もないのかもしれない。人工知能研究はそのような無益な問いにかかずらうことなく工学的な研究を推進すればよいのであって、その結果として知能を実現した人工知能研究が、あるいは人工知能研究と連携した脳科学が、知能とは何かという問いにも答えを与えてくれるだろう。理論的・数学的解明はさしあたり措いたうえで、実践的・工学的進歩に集中するべきである。――人工知能研究に工学的な観点から携わる研究者の多くは、このような見解をもっているのではないだろうか。[1]

他方、思想的な観点を取る研究者の間では、人工知能研究に対してアンビバレントな態度がみられる。人工知能の発展を通じて人間が新たな進化を遂げる「シンギュラリティ」といった、神話的にも響く物語にまでは与せずとも、しかしあらゆる点において人間の知性を超える「人工超知能」の存在を想定し、それに対する備えが必要だという主張がある。[2] 他方で、人工知能が抱えている原理的な難点を指摘することで、人工知能が決して人間的な意味での「知能」になることはないと説く論者もいる。たとえば、哲学者の人工知能批判としては古典的ともなった著作において、ヒューバート・L・ドレイファスは、人間が言語使用といった知的行為をするときに決して厳格なルールにしたがっているわけではなく、常にさまざまな生のコンテクストや肉体が置かれた状況・環境に合わせて行動していること、そして、少なくとも現状研究されている人工知能はこのような人間の知能を再現できないことを主張していた。[3] 近年ではたとえばマルクス・ガブリエルが、「思考」を生命体に備わった視覚や聴覚などと並ぶ「六つ目の感覚」として、感情を切り離した概念だけに関わる「論理」と区別した上で、人工知能の限界を語っている。ガブリエルによれば、生命体ではない人工知能に備わるのは後者の「論理」だけなのであり、「思考」にたどり着くことは原理的に不可能である。[4] 伝統的な意味での哲学研究に携わる研究者はどちらかと言えば後者の、人間と人工知能の原理的な差異を語ることが多いように見受けられるけれど、前者のように人工知能に関わる未来予測を積極的に取り入れた主張の方が進歩的・学際的であり、後者のそれは、人間精神が特別なものであるという古めかしい、何の根拠もない信仰への固執であるという評価を受けることもある。

とはいえ、「生命」あるいは「肉体」、およびそれに随伴する「感情」といった要素によって、人間の知能と人工知能の原理的な差異を語る議論は、工学的な立場をとる論者においても今日しばしばみられるものである。すなわち、われわれ人間の知能はわれわれの肉体や生命と切り離しては考えられないのであって、知能の働きは「生存するため」という目的の下、自分の肉体をとりまく環境にさまざまな仕方で対応する機能をもっている。人工知能研究が未だに解決することができない難問として知られる「フレーム問題」も、人工知能が「生存する」という目的をもたず、環境に応じたさまざまな対応をすることができないことに起因しているとも言われる。それゆえ、自分自身に固有の「肉体」をもたず「生命」ではない人工知能は、本来の意味での「知能」にはなれないだろう。(5)——とはいえ、「生命」や「肉体」という概念によって人間の知能の特殊性を語る議論は、つまるところ「知能とは何か」という問いを、「生命とは何か」あるいは「肉体とは何か」という別の難問へと移行させたに過ぎない。それと同時に工学的な立場では、「生命」や「肉体」への着目は人工知能の実現を不可能にするものではなく、むしろそれらを実装することで人工知能のさらなる発展を目指すという発想を産むだろう。具体的には「人工生命」や、「痛覚」をもったロボットの「肉体」の研究によって、人工知能を人間の知能に接近させようという試みが散見される。(6)こういった状況にあって哲学がすべきことは、「知能とはなにか」「生命とは何か」「肉体とは何か」という、古代から続く、あるいは近代において発見された、そして現代において伝統的な哲学に対する批判と共に見直された、哲学の諸根本問題とあらためて取り組むことであるようにも思われる。

しかしながら、哲学者たちが「知能」「生命」「肉体」の本性といった当面は解決の見込みのない問いと取り組んでいる間に、工学的な研究の格段の進展がみられただけでなく、人工知能に対する人々の理解もまた、とりわけこの10年で大きく変容したように見受けられる。すなわち、哲学的な議論を気にかけることなく、それどころかときには工学的な研究の実状からもかけ離れ、人々は自らの周りに多くの「人工知能」を認め、語りつつある。経済に関わる報道をはじめとして、今日われわれがマスメディアに触れたとき、「人工知能」「ＡＩ」という言葉を聞かない日はないと言ってよいだろう。なるほどそれは、幾人かの工学者が指摘するように、「ＡＩ技術を総称して単にＡＩと呼ぶようになって」[7]いるという事情にもよるだろうし、さらには、「多くの場で『人工知能』といわれているものの多くは、これまで『ＩＴシステム』や『ウェブ検索』といっていたものを言い換えているにすぎない」[8]のかもしれない。あるいは、本人はかならずしも「人工知能」とは思っていない技術や商品であっても、「ＡＩ」という呼称を与えれば経営的に好都合である、あるいは、そのように言わないといけないような空気がある、というだけで「人工知能」という言葉が使われるケースも少なくはないだろう。今日における「ＡＩ」「人工知能」の氾濫は、必ずしも工学的な進展を反映せず、ましてや哲学的な議論に依拠することはなく、経済的な原理をはじめとした異なる要素に起因していると思われる。

このような状況を整理するため、研究者は「強い人工知能」対「弱い人工知能」という図式をもち出すことがある。巷で溢れかえる「ＡＩ」「人工知能」と呼ばれるものの大半は、人間の知能を再現することで「心」や「意識」を獲得した「強い人工知能」ではなく、人間の知的活動の一部を再現した単なる道具である「弱い人工知能」にすぎない。多くの人々が「ＡＩ」や「人工知能」を語るときこの区別は忘れられており、それゆえ今日の「ＡＩ」「人工知能」の氾濫は、人々の混乱した言葉の使い方に起因している。将来的に「人工超知能」の完成から「心」や「意識」をもつ人工知能が出現することはあり得るかもしれないが、現状はそのような「強い人工知能」が実現したわけではない。——人工知能学者によるこのような現状分析は、一見すると説得的なものであるようにも思える。しかし、「人工知能」が社会のあちこちに行き渡り、人々が人工知能と関係する中でさまざまな理解をしたとき、それらをすべて科学に通じていない人々の錯覚であると断罪するのは正しいのだろうか。加えて、「強い人工知能」「弱い人工知能」という区別自体が工学的・実証的な研究に根拠づけられているわけではなく、後述の哲学的な議論にその起源をもっており、その点で科学的な見地からは疑われるべきものではないかとも思われる。工学者が哲学者の議論を実証性に欠けるものとして批判するのであれば、この区別もあらためて反省の対象にしなくてはならない。次節では人工知能をめぐる言説についての議論を進めるため、「強い人工知能」「弱い人工知能」の区別が語られるようになった哲学的問題を再考してみたい。その問題とは「人工知能は心をもち得るのか」というものであった。

3. 人工知能における心と意識——「中国語の部屋」再考

近代コンピュータの始祖の一人と言われるアラン・チューリングの論文において既に、今日における「人工知能」の汎濫が予想されているようにも思われる。いわゆる「チューリング・テスト」として知られる、機械が機械であることを隠して人間の判定者とコミュニケーションを交わし、人間ではないことを見破られないかどうかを試す「モノマネ・ゲーム」を、チューリングは「機械は考えることができるか」という問いに「置き換えられる」ものとして提示していた。とはいえ、このテストだけで人工知能における心や意識の存在を証明しようとする研究者は今日少数だろう。チューリング本人の期待に反して今日このテストは、いかにしてプログラマーが、機械であることを見破ってやろうという判定者の裏をかけるのかという戦略的な競技になってしまったきらいもある。(9)

チューリング・テストによって機械における心や意識の存在を語ることへの原理的な批判として、もっともよく知られたものはジョン・サールによる「中国語の部屋」と呼ばれる思考実験であろう。その議論は、中国語を解さない人物が、中国語が理解できなくても使用できるコミュニケーションの「マニュアル」が置かれた「部屋」に入り、「部屋」の外の人と中国語でのコミュニケーションを成立させたとしても、「部屋」の中の人物はコミュニケーションの内容について「理解した」ことにはならない、というものであった。マニュアルにしたがって記号操作をしただけの人間は、その記号が伝えている会話の内容について理解することはない。同様に、コンピュータが実装された「マニュアル」にしたがってあらゆる対話に応じることができるようになったとしても、そのことはコンピュータが対話を理解した証明にはならない。翻訳やオペレーターの仕事をどれだけ巧みにこなす機械が実現したとしても、それは単なる道具である「弱い人工知能」であり、心や意識をもち文章の内容を理解する「強い人工知能」になることはない。――サールのこの議論に対してはすでにさまざまな反論がなされている。たとえばそれは、あらゆるコミュニケーションを成立させるような膨大な「マニュアル」は実際には不可能ではないかというもの、(10)あるいは、マニュアルを使用する人物とマニュアルを合わせた「部屋」、あるいはその両者の機能を兼ね備えたロボットであれば、コミュニケーションを理解したと言えるのではないか、(11)といったものである。「中国語の部屋」をめぐる議論にはその背後に、心や意識はプログラムであるのか、さらには、心や意識は物質世界のどこに存在するのかという、心の哲学の中心的な問題が控えており、今日もいまだ議論が続けられている。

しかし「中国語の部屋」が発している問題は、そのような「部屋」が実現可能なのか、それどころか、その「部屋」が意識をもち得るのか、という点だけではないように思われる。サールの思考実験が訴えている問題は、その「部屋」とコミュニケーションを交わす人物は、「部屋」の内部で何が起こっているのかとは無関係に、そのような「部屋」の中に心や意識をもつ存在がいると判断してしまう、という点にもある。「部屋」や機械がどのような仕組みになっているかは知らずとも、それどころか、そのことにまったく関心をもたずとも、「部屋」を観察する人々は、場合によってはひどく簡単なコミュニケーションのみで、そこに心や意識を認めてしまう。実際のところチューリング・テストをクリアする最も簡単な方法は、容易に心を認めてしまう観察者、たとえば子どもを判定者として採用することだろう。[12] サール自身の言葉を引けば、「心があるかないかという区別は、観察者の目の中にだけではなく、システムに内在的でなければならない。さもなければ、人間が心をもっていないとか、たとえばハリケーンが心をもっているとかいうように、好き勝手に扱うことが観察者にはできてしまう。けれど人工知能に関する文献の中では、極めて多くの場合この区別がはっきりしていない。このことは長い目でみると、人工知能が認知科学であるという主張にとって大変な損害となるだろう」。[13] 観察者がいかようにも心や意識の存在を判定してしまうのであれば、「人工知能は心をもつのか」という問いに対して、人工知能の工学的な発展自体がまったく意味のないものになってしまう恐れすらあるだろう。

サールのこの懸念、機械の内部で何が起こっているのかとは無関係に人々はそこに「心」を認めてしまうという懸念は、人工知能学者や哲学者が注意しなければならないことというより、むしろ心や意識をめぐる議論において避けることができない本質的な難問であるように思われる。しばしば指摘されることであるが、他者の心を覗くことができない以上、自分以外の存在に心や意識があるかどうかは外的な行動を観察することによってしか判定できない。心をもたない「弱い人工知能」と心をもつ「強い人工知能」の差は、工学的な発展によって厳密な区別ができるものではなく、機械を観察する人々にも依存しているのである。それゆえ、人工知能学者がどれだけ機械の内部について正確に理解し、その機械は心などもたない「弱い人工知能」だと力説しようとも、人工知能やロボットを外部から観察する人々が何らかの契機から、その機械に心や意識を認めてしまうということは十分にあり得る事態である。

実際のところ機械に限らず、人間とは異なる存在が心や意識をもっているという世界理解は、人類にとってそれほど疎遠なものではない。人類はその長い歴史において、サールの言うハリケーンをはじめとして、人間以外の多くの自然存在や超自然的存在に心や意識を認めてきたのだった。なるほど、われわれはそのような、いわゆる「アニミズム」的な世界観や神話、それどころか宗教そのものからも解放された、科学的な認識のみに基づいた世界、「啓蒙」された世界に生きていることだろう。[14]けれど、かつてテオドール・アドルノ／マックス・ホルクハイマーが『啓蒙の弁証法』で告発していたように、アニミズムや神話から人間を解放し科学的な世界観を作り出した「啓蒙」は、科学技術による自然の征服と工学的な再生産のみに従事することによって、容易に神話へと逆行する。「思考機械が存在を自らに服従させればさせるほど、思考は存在の再生産で満足するようになる。それと共に啓蒙は神話へと逆行するのであり、神話から啓蒙が解放されることは決してない」。[15]人工知能をとりまく現状においても、そのような神話的世界観への逆行が起こっているのではないかという懸念は、決して的外れではないように思われる。たとえば前出のドレイファスは、知能を再現できたかどうかについて決して経験的に証明できないにもかかわらず、しかし将来の成功の約束を語り続ける人工知能研究を中世の錬金術になぞらえていた。[16] 近年ではJ・G・ガナシアが、論理と神話を混在させながら「シンギュラリティ」といった大きな物語や未来を語る人工知能研究を、古代のグノーシス主義に類するものと批判していた。[17] もちろん人工知能に関わる工学者のうち多くの人々は、そのような「神話」を語る意図をもたず、実証的な研究を積み重ねていることだろう。しかしそれにもかかわらず、それを外から観察する人々は、人工知能を新たな神話や啓示の到来として受け止めるかもしれない。

このような状況にあって哲学は何が言えるだろうか。哲学者は人工知能学者と手を携えて、人工知能研究の正確な現状を知り、その上で「理性的」な判断を人々に要求するべきなのだろうか。しかしながら、人工知能の内実に詳しくない「無知な」人々に対して、「知をもつ」哲学者が判断の基準を教えるという態度は、ソクラテス以来、哲学が自らに禁じてきた行いではなかったか。哲学が人工知能研究や脳科学の知見に過度に立脚した議論を行い、人々に心の場所を教えることは新たな神話を作り出しはしないか。たとえば、今日人工知能の発展とともに予想されている未来の一つとして、人工知能の政治の領域における使用がある。政治家をすべて人工知能に置き換えるというところまでは行かずとも、人々の意見の集約や社会の現状分析のために人工知能を政策の決定プロセスに導入することがさまざまな場所で検討されているという。[18] この予測において懸念されるのは、人々が人工知能の下す判断を人間のそれに比べ信頼できるものと考え、それをいわば神託のように受け止めた結果、政治について自分で思考することをやめてしまうという事態であるだろう。哲学がもし人工知能研究や脳科学を前提として議論を展開し、科学について無知な人々に意識や心の場所を教授するという態度をとるのなら、それは人々から思考の契機を奪うことにならないだろうか。むしろ哲学がすべきことは、人工知能の内部について知らなくても人々は意識や心の所在について自分たちで考え判断できるのであり、判断しなければならない、と訴えることではないのか。哲学が常に試みてきたのは、人々に判断の基準を示すことで思考を容易にすることではなく、それぞれの人に自分で考え難しい判断を迫ることではなかったか。権威的な「神話」へと逆行しない「啓蒙」があるとするなら、それは人々が科学的な権威を妄信することをやめ、自分で思考することによってでしか達せられないだろう。かつて18世紀ドイツの哲学者イマニュエル・カントは『啓蒙とは何か』という作品において、「啓蒙」を「自分自身に責任のある未成年状態から抜け出ること」と定義し、本や牧師や医者といったものに頼ることなく、「あえて知ろうとせよ！　自分自身の知性を使う勇気をもて！」と呼びかけていた。この「自分で考え知ること」の重要性は、「人工知能に心はあるか」という一見すると抽象的ともみえる問いにだけではなく、「人工知能は労働し所有することができるのか」という、実践的に差し迫った問いにも関わっているように思われる。次節ではこの人工知能をめぐる労働と所有の問いを、カントの思考をたよりに扱うことにする。

4. 人工知能における労働と所有――カント的観点から

今日人工知能をめぐって議論される事柄の一つとして、人工知能を通じて制作された事物の所有権や知的財産権の問題がある。人工知能を何らかの形で使用することで生産された画像、映像、音楽、文章の帰属先は人工知能の使用者なのか、制作者なのか、それとも人工知能を所有する企業なのか。あるいは、人工知能がそういった知的制作をするために不可欠とされる学習のための大量のデータ、いわゆる「ビッグデータ」に著作権は認められるのか、そういったデータを保有するグローバルな大企業がデータを独占することは許されるのか。さらには、労働者としての人工知能およびロボットそのものにどこまでの権利が認められるべきであるのか。人工知能の社会への本格的な進出を前にして法学者は、どのように社会の安定性を保つのか、誰の利益を重視するのか、新たな「ロボット・AＩ法」が必要であるかどうかを含め、議論を重ねている。(19)

とはいえ、所有権をめぐる議論は法学の内部においてのみなされ、決着されてよい問題ではないだろう。社会の安定や法的整合性、あるいは誰にとってどれぐらいの利益があるのかといった要素に先行して、「いかなる所有が正当であるのか」さらには「そもそも所有はどのようにして可能なのか」という事柄が問われなければならない。社会全体にとって、あるいは自分にとってどれだけ有利な所有が認められようとも、それが「正当」ではない所有であるのなら、その権利は問われ直さなければならない。この、所有の正当性をめぐる議論は、古代よりさまざまな哲学者によってなされてきた。ときに所有は社会全体の善や人間の「徳」のために存在するとされ、あるいは神的な摂理や単なる慣習に根拠をもつとされ、そして有名な所では、人間の労働こそが所有に正当性を与えるのだという論理が提示されてきた。

カントもまた、所有の正当性について論じた思想家の一人である。カントによれば、人々が所有を主張するために生産活動に直接関わる必要はない。たとえばある土地を所有するために、土地を耕作するということは求められない。その著作『道徳の形而上学』「法論」によれば、事物を所有するためには、さしあたりその事物を物理的な意味で手にすること、法律用語でいうところの「占有」をすれば足りる。とりわけ誰にも所有されていない事物、無主物に対しては、他人に対して時間的に先行してその事物を取得することが所有の十分な要件であるとカントは言う。――「啓蒙」の哲学者と評価されるカントの思想はあらゆる主題について、人間が宗教や神学から解放されたことを語っている。カント哲学において人間主体は、神と関わることなく世界を認識することができるし、その道徳や倫理は宗教的な戒律から独立している。所有についてもカントはそこに、神から与えられた土地を耕さなければならないとか、食物を無駄に腐らせてはならないといった制限を設けることなく、人間が自らの意志によって手に入れたものは何もかも所有の対象になることを主張する。とはいえこのようなカントの議論は、伝統的な宗教における弱者への配慮や人間の限界への視線を欠いており、典型的なヨーロッパ近代の人間中心主義、あるいは、強者の理論であると批判されることもある。宗教的な制限や戒律を排した「啓蒙」がその中に剝き出しの暴力性をはらんでいることは、先述のアドルノ／ホルクハイマーによる『啓蒙の弁証法』もまた指摘していたことであった。自律し、自己の権利を主張する主体がどのような所有もすることができるのであれば、「自立機械」となった人工知能もまた、人間以上に「強い主体」として所有を主張できるのだろうか。人工知能が人間から所有や労働を奪うという未来予測は、やはり真剣に案じなければならない問題なのだろうか。

しかしカントによれば、単に先に事物を手にした者が所有をし、場合によっては暴力によって他者から所有を奪い取ることができるという社会の状態、哲学の伝統では「自然状態」と呼ばれる世界においては、所有はいまだ本来の意味での所有ではない。所有が安全に保障され、他人の所有を侵害することが禁止され、そのような侵害をした者が刑罰を受けるようになるためには、われわれは「自然状態」から「市民状態」への移行をしなければならない。この「移行」がなされて初めて、所有は「暫定的なもの」から「確定的なもの」となる。そして「自然状態」から「市民状態」への「移行」は、哲学の伝統では「社会契約」と呼ばれる装置によって、すなわち、一つの社会へと入るという人々の合意によって果たされる。人々は一つの社会に生きることを共に同意することをもって初めて、互いの所有を力によっては奪い合わないことを約束し、それを法律によって保障する。逆に言えばわれわれは、共に社会に生きることを合意し、約束できる他者にのみ所有を認められるのであって、合意や約束ができず、違法行為があったときに責任を問うことができないような存在に所有を認めることはできない。合意や約束をできる自由な意志をもたない存在、あるいは、権力的な優位性を主張するゆえに、後に責任を問うことができないような存在には、われわれは所有を認めることはできないのである。

こうして本来の意味での「所有」が可能になる条件としてカントは、人々が同じ社会へと入ることの合意や約束、社会契約を主張した。それゆえ「人工知能やロボットに所有を認めるべきか」という問いは、カント哲学の立場からは次のように言い換えることができる。われわれは人工知能やロボットと社会契約を結ぶことができるのか、われわれは一つの同じ社会で生きることを人工知能やロボットと合意することができるのか。――このような合意をするためには、人工知能やロボットに心や意識、かつ、責任を問うことができる自由な意志を認めることができなくてはいけないし、また、能力の差こそあれ、それらを人間と対等な主体であると認識しなくてはならない。それゆえ、人工知能やロボットが人間より優れた生産活動を営めるということだけでは、それらに正当な意味での所有を認めることはできない。

今日人工知能の発展をめぐってなされる最も大きな懸念は、人工知能が次々と人間の生産活動・仕事を取ってしまうという事態だろう。人間をはるかに超えた効率性をもち、「創造性」といった領域においてすら人間を凌ぐ成果を示す人工知能が社会に進出してきたとき、人間はあらゆる労働を、そして労働の対価であるところの所有を人工知能に奪われてしまうのではないか。しかし、人工知能によって何らかの商品が生産されたこと、ましてや、企業の一部として人工知能が生産に関わったことだけをもってしては、人工知能に所有を、しかも法律によって守られなければならない所有権を認めることはできない。「人工知能の所有」が語られたとき、その所有は本当に正当なものであるのか、「人工知能の所有」の背後に企業や特定の人間主体の所有が隠されていないかを、われわれは常に問い直す必要があるだろう。この点において、人工知能に労働や所有を奪われるのではないのかという懸念は、人工知能を所有する企業や資本に労働や所有を、とりわけ多くの教育コストや対価を必要とする知的労働を奪われるのではないか、という問題として考察されるべきではないかとも思われる。[20] たとえば、人工知能が人間の労働を奪ってしまう問題に対する一つの解決策として、すべての人に最低限の所得を保障する「ベーシックインカム」と呼ばれる施策がしばしば言及されるけれど、人工知能が十分な生産活動を営んだからといって「ベーシックインカム」が導入可能であるわけではなく、今日の経済体制がもつ論理、資本の論理の中に「ベーシックインカム」を矛盾なく組み込むことができるのか、それとも経済体制そのものを根底から変革する必要があるのではないか、と論じられるべきではないだろうか。たとえばある文化史家は、人工知能が生産に関わり労働力として使用されるようになったこの時代にこそ、「所有」そのもののあり方と、そして今日の経済体制をラディカルに問い直した思想家を呼び戻す必要があると訴えていた。[21]

社会制度や経済体制の根本的な変革を求めた思想家と比較したとき、なるほどカントは「所有」の廃止や現状の社会の変革までをも迫ることはしなかった。カントが語る「啓蒙」は社会の革命的変化ではなく、長い時間をかけて徐々になされる改善や進歩を求めている。しかしその進歩が目指すところの「正当な所有」がなされる社会、自律した思考をする人々の互いの合意によって所有を保障し合う社会を求めたカントの思考もまた、今日あらためて参照される価値のあるものだと思われる。

5. おわりに

誰が所有をできるのか、あるいは、誰が心をもっているのか——人類の歴史において長い間これらの問いは、社会における一部の階層によって独占的に語られ決定されてきた。奴隷ではない「市民」や王侯貴族のみが所有を主張し、神官や祭司だけが超自然的存在からの言葉や神託を聞き取り、権威的な仕方でそれを伝えてきた。ヨーロッパ近代「啓蒙」の時代を経てわれわれは、そのような権威的な社会に決別し、自己決定を最上の価値とする今日の社会を築き上げたように思われる。しかしもしわれわれが人工知能の発展がもたらす大きな社会変革を迎えて、所有の正当性を法学者に、心や意識の所在を人工知能学者や脳科学者にふたたび委ねてしまうのであれば、それは人工知能が新たな神話と権威を作り出すことを意味していよう。誰が正当な所有をし、誰が心や意識をもつのかを決めるのは、法学者や人工知能学者でもなければ、まして哲学者でもない。それは社会に生きる個々の人々が思考し、自身で判断を下さなければならない事柄である。

とはいえそれは、ある個人や社会（あるいは社会の多数派）が決めたことが、すぐさま正当な所有や心の正しい場所となるということではない。ある社会がすすんで人工知能を全能の知性としてその神託を受け取ろうとすることもあるかもしれないし、あるいは、特定の集団や民族に対し、奴らは知性や心などもたないのだから所有など認める必要はないのだ、という判断をしようとすることもあるだろう。そのようなとき、人工知能学者は研究の正確な実状を神話的な未来を混ぜることなく語るべきであるし、哲学は「意識とは何か」「所有とは何か」といった根本問題と取り組みつつ、そういった判断の妥当性を常に問いかけるべきであろう。新たな技術の到来や大きな社会変革を前にしたとしても、哲学を含め諸学問がなすべきことは、やはりそれぞれの根本問題へと改めて立ち戻ることであるように思われる。

▲註▼

(1) 「人工知能とは何か」という問いに対する、さまざまな工学者たちの立場として、松尾(2016)を参照されたい。新井(2018)によれば、この問いの理論的・数学的解明は「原理的に無理だと、多くの研究者が内心思っているという」(13頁)。西垣(2018)は「絶対的真理の追求という理論目的から、人間の生活に役立つ実践目的に舵を切ったのが［人工知能研究の］第2次ブームだったといってよいだろう」(16頁)と論じている。

(2) 井上(2017)、Bostrom (2014)。

(3) Dreyfus (1972)。ドレイファスの人工知能批判はしばしば当時の経験的な研究状況に基づいており、現在の人工知能が優れた業績を示している分野、とりわけチェスについて人工知能の限界を主張しており、その点で既に乗り越えられたと考えられるむきもある(たとえば鳥海(2017)、21-22頁)。しかしドレイファス自身は経験的な議論と原理的な議論を分けた上で、道具的存在についてのハイデガーの議論やルールについてのヴィトゲンシュタインの洞察に基づきつつ、人間の知能と人工知能の原理的な差異について論じようとしていたことも指摘されるべきだろう。ドレイファス(2002)、森岡(2019)も参照されたい。

(4) Gabriel (2018)。

(5) 工学者の観点から「生命」を通じて人工知能と人間の知能の差異を論じた研究として松田(2017)。フレーム問題についても松田(2018)、第4章、145頁。
(6) 森岡(2019)、浅田(2019)を参照されたい。
(7) 新井(2018)、15頁。
(8) 松田(2017)、178頁。
(9) 今日も続くチューリング・テストの競技大会として知られる「ローブナー賞」では、もっとも人間らしく会話した機械に賞が贈られるだけではなく、人間らしく会話した人間、すなわち「最も人間らしい人間」にも賞が与えられるという。つまり「人間である」という判定をしてもらうために、人間もまた戦略的に会話を組み立てなければならないのである(その顛末を描いたものとして、クリスチャン(2014))。チューリング本人も自身のテストが単なる戦略の競い合いとなってしまう可能性を予見していたようであるが、その点からは目を背けている。『モノマネ・ゲーム』を実行する機械の最善の戦略は、むしろ人間のふりをしないことではないかという主張も考えられる。たしかに、そうなのかもしれないが、そこまで裏をかいたところで大きな効果を望めるとは思えない。いずれにしても、本章ではゲームの戦略論を研究するつもりはない。あくまで機械にとって最善の戦略は、人間が自然に会話に応じた際に生じる回答を返すことだと仮定しておこう」(チューリング(2012)、10頁)。しかしチューリング・テストのこのような展開は、「心」をめぐる問題の本質に触れてはいないだろうか。そもそも人間同士の間でも「自然な会話」などは存在せず、われわれは他人に自分の心を理解してもらうために、常に戦略的に会話を組み立ててはいないだろうか。
(10) 人工知能研究者からのそのような批判として、鳥海不二夫『強いAI・弱いAI――研究者に聞く人工知能の実像』丸善出版、2017、3頁、および231頁。あるいは中島(2015)、7章「チューリングテスト再考」。
(11) 信原(2018)。
(12) 同様に、チューリング・テストの「判定者」の側に着目した指摘として松浦(2019)。
(13) Searle (1980), p. 420.
(14) アニミズム的な世界観はまた、「ごっこ遊び」をする子どもの想像力にもみられるものだと指摘される(カプラン(2011)、13章)。ロボットを主題にしたいくつかの物語(アシモフの短編「ロビイ」や映画「イヴの時間」

など）が、ロボットを心をもつ友人と捉える子どもと、そこに心など認めない大人という構図をもっていることは偶然ではないだろう。――とはいえ、私たちはいつ子どもから大人になり、アニミズム的な世界観を完全に捨てられるのだろうか。それどころか今日の支配的なイデオロギーは、「子どもらしい心を取り戻す」こと、アニミズム的な世界観へと退行することを呼び掛けてはいないか。先に挙げたようなロボットの物語は多くの場合、子どもを賛美する「感動的な」結末（「本当は子どもが正しくて、ロボットは心を持っていたのだ！」）を迎えはしないだろうか。

(15) Adorno/Horkheimer (2000)、p. 42（邦訳、62頁）。
(16) Dreyfus (1972) p. 216, 7.
(17) ガナシア（2017）。
(18) 水谷（2018）。
(19) 人工知能と知的財産権についての法学者の見解としては福井（2018）、ロボットと労働についての倫理学的な観点からの議論として久米田（2017）、第8章。AIと法学の総論的な関係については宍戸（2018）を参照されたい。
(20) 人工知能の発達がさしあたりは、単純労働よりもむしろ「創造的」な知的労働を奪ってしまうだろうという指摘はしばしばなされる（たとえば、鈴木（2017）、第2章・第3章。）。その原因は、「身体」をもつがゆえに物質的な資源を必要とするロボットよりも、データだけで形成される人工知能の方が再生産されやすいからであり、また、単純労働に必要な「手」や「指」の動きをロボットで再現することの難しさにあると言われる。
(21) 片山（2018）、第9章「マルクスを呼び戻せ！――人間不要のAI資本主義」、251-281頁。

▲参考文献▼

- 浅田稔「〈シンポジウム『人工知能・ロボットの哲学』〉人工痛覚が導く意識の発達過程としての共感、モラル、倫理」日本哲学会編『哲学』第70号所収、2019年、14-34頁
- 新井紀子『AI vs. 教科書が読めない子どもたち』東洋経済新報社、2018年
- 井上智洋『「人工超知能」――生命と機械の間にあるもの』秀和システム、2017年

■片山杜秀『平成精神史──天皇・災害・ナショナリズム』幻冬舎新書、2018年
■ジャン=ガブリエル・ガナシア『そろそろ、人工知能の真実を話そう』伊藤直子監訳、小林重裕・他訳、早川書房、2017年
■フレデリック・カプラン『ロボットは友だちになれるか──日本人と機械のふしぎな関係』西垣通監修、西兼志訳、NTT出版、2011年
■久米田水生、神崎宣次、佐々木拓『ロボットからの倫理学入門』名古屋大学出版会、2017年
■ブライアン・クリスチャン『機械より人間らしくなれるか?──AIとの対話が、人間でいることの意味を教えてくれる』吉田晋治訳、草思社、2012年
■宍戸常寿「ロボット・AIと法をめぐる動き」弥栄真生、宍戸常寿編『ロボット・AIと法』所収、有斐閣、2018年
■鈴木貴博『仕事消滅──AIの時代を生き抜くために、いま私たちにできること』講談社+α新書、2017年
■アラン・チューリング「計算機械と知性」『現代思想』青土社、2012年11月臨時増刊号「総特集 チューリング」所収
■鳥海不二夫『強いAI・弱いAI──研究者に聞く人工知能の実像』丸善出版、2017年
■ヒューバート・L・ドレイファス/スチュアート・E・ドレイファス「心をつくるか、それとも、脳のモデルをつくるか。分岐点に戻る人工知能」門脇俊介、信原幸弘編『ハイデガーと認知科学』所収、産業図書、2002年
■中島秀之『知能の物語』公立はこだて未来大学出版会、2015年
■西垣通『AI原論──神の支配と人間の自由』講談社選書メチエ、2018年
■信原幸弘「人工知能とは何者か」東洋大学国際哲学研究センター編『国際哲学研究』別冊10巻所収、2018年
■福井健策「ロボット・AIと知的財産権」弥栄真生、宍戸常寿編『ロボット・AIと法』所収、有斐閣、2018年
■人工知能学会監修、松尾豊編『人工知能とは』近代科学社、2016年
■松浦和也「偶像──労働力としての人工知能──あるいは知性・人間・シンギュラリティ」河本英夫、稲垣諭編『iHuman──AI時代の有機体-人間-機械』所収、学芸みらい社、2019年、第7章
■松田雄馬『人工知能の哲学──生命から紐解く知能の謎』東海大学出版会、2017年

- 松田雄馬『人工知能はなぜ椅子に座れないのか――情報化社会における「知」と「生命」』新潮社、２０１８年
- 水谷瑛嗣「ＡＩと民主主義」山本龍彦編著『ＡＩと憲法』所収、日本経済新聞出版社、２０１８年、第６章
- 森岡正博「人工知能と現代哲学――ハイデガー・ヨーナス・粘菌」日本哲学会編『哲学』70号所収、２０１９年、51-68頁
- Adorno, Theodor W., Max Horkheimer, *Dialektik der Aufklärung*, Fischer 2000.（マックス・ホルクハイマー／テオドール・アドルノ『啓蒙の弁証法――哲学的断想』徳永恂訳、岩波文庫、２００７年）
- Bostrom, Nick, *Superintelligence. Paths, Dangers, Strategies*, Oxford UP 2014.（ニック・ボストロム『スーパーインテリジェンス――超絶ＡＩと人類の命運』倉骨彰訳、日経ＢＰ、２０１７年）
- Dreyfus, Hubert L., *What Computers Can't Do: The Limits of Artificial Intelligence*, Harper & Row 1972.（ヒューバート・Ｌ・ドレイファス『コンピュータには何ができないか――哲学的人工知能批判』黒崎政男、村若修訳、産業図書、１９９２年）
- Gabriel, Marcus, *Der Sinn des Denkens*, Berlin 2018.
- Searle, John R., Minds, brains, and programs, in: *The Behavioral and Brain Sciences*, 1980, 3, pp. 417-424.

山蔦真之　やまつた さねゆき

１９８１年、東京都生まれ。東京都立大学法学部卒業、東京大学大学院人文社会系研究科修了。博士（文学）。名古屋商科大学経済学部専任講師を経て、２０１５年より名古屋商科大学国際学部科准教授。

専門はカントを中心としたドイツ哲学。主要業績に『哲学の体系性』（共編・晃洋書房）、『思想２０１８年11月号　カントという衝撃』（共著・岩波書店）がある。

第6章

共存?

われわれは奴隷を作るのか

松浦和也

1. はじめに

2016年に日本政府が策定した「第5期科学技術基本計画」では、社会の今後のあり方として「超スマート社会」、「Society 5.0」なる言葉が登場した。同計画書によれば、「超スマート社会」とは「必要なもの・サービスを、必要な人に、必要なときに、必要なだけ提供し、社会のさまざまなニーズにきめ細かに対応でき、あらゆる人が質の高いサービスを受けられ、年齢、性別、地域、言語といったさまざまな違いを乗り越え、活き活きと快適に暮らすことのできる社会」である。(1) これを実現するための基盤技術を同計画書は複数挙げているが、(2) それは概ね情報技術やロボティクスといった工学分野に分類されるものであろう。また、同計画書は、この社会が実現したときに期待される社会の変化として、「生活の質の向上をもたらす人とロボット・AIとの共生」を挙げている。このような目標を伝えるために作成されたものが次頁下の図である。

概して、未知のアイデアの理解を促進させるために、既存のアイデアを用いることも、さらにそのアイデアの延長線上に想定されるものを描くことも、よく行われていることである。この図は、既存の技術の延長上に明るい未来が待っていると期待させるために描かれたものであろう。

ここであえてこの図に言いがかりをつけてみよう。というのは、描かれたイラストの中には、あまり幸せな未来が想定できないようなものもあるからである。図の左下で、段ボールを持ち上げている人間をおそらく支援しているロボットは、手塚治虫『火の鳥』に登場する「ロビタ」によく似ているように見える。しかし、手塚が描いたロビタの誕生の経緯やその結末を強く想起した者にとってみれば[3]、この姿をもつロボットと人間との生活にはどこか破綻を予感させる。いつか、このロボットは「ソレデモ私ハ人間ダ！」と言い出すかもしれない。そうなったときに、Society 5.0はこの主張を認めることになるのか。そう問題提起する人もいるだろう。

たしかに、少なくとも２０２０年現在、こう主張し、かつそれに見合うだけの能力をもつロボットや人工知能にわれわれは出会っていない[4]。しかし、それでもなお、この問いはくすぶり続けるように思われる。Society 5.0で想定されている、そしてこれから実現するであろうロボットと人間の関係とはどのようなものか。

この問いに対する応答にはさまざまなものが考えられるが、それを現段階で断定することは著しく困難である。その困難さの第一の理由は、開発されるそのときの人工知能やロボットがどのようなものかは分からないことである。このイラストは既存の技術の延長に期待される未来の実現があることを想定している。しかし、仮にSociety 5.0が実現したとしても、その手段がノートパソコンやスマートフォン、ドローンやパワーサポートロボットであるかは誰にも確信できないし、ロビタのような

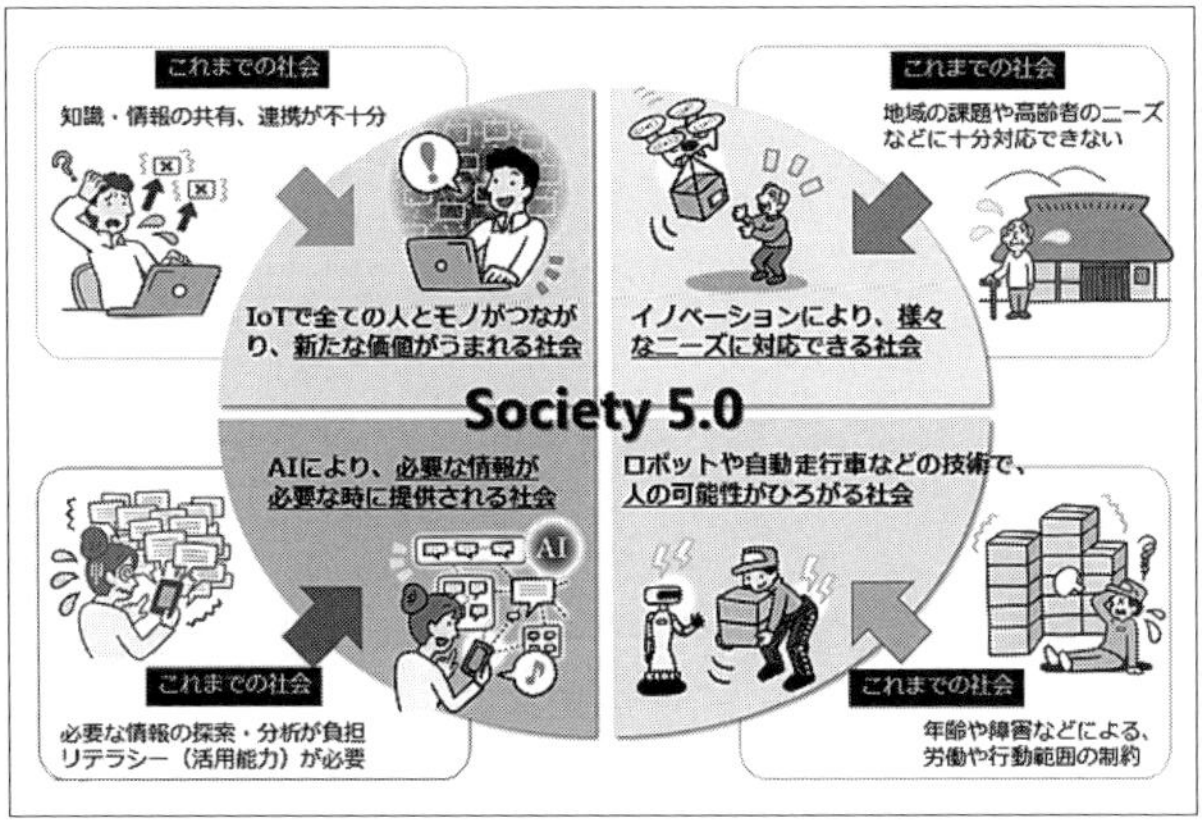

出典：内閣府HP
「Society 5.0で実現する社会」
（https://www8.cao.go.jp/cscp/society5_0/）

ロボットを人間が制作できるかどうかはさらに確信できない。[5] 第二の理由は、ロボットを受容する側の社会も均一ではないことである。たとえば、あるロボットが開発されたとして、そのロボットをある社会は歓迎するかもしれないが、別の社会はその外見や機能から忌避することはあり得る。このことの一部はすでに現実になっている。自動運転車は、ある社会ではすでに公道を走っているが、別の社会では未だに法的問題が解決されていない。将来的には、人間の雇用を奪うという理由で、自動運転車が禁止される社会もあるかもしれない。第三の理由は、第一および第二の理由から派生することでもあるが、そもそも人工知能やロボットを社会に実装するということがいかなる事態か、あるいは人工知能やロボットと人間の間で成立することが期待される関係がまったく明らかではないことである。

それでも、大まかな可能性としては次のものがあり得る。第一の選択肢は、人工知能やロボットは人間の道具である、とみなす立場である。この線でロボットと人間の関係を捉えるのであれば、技術一般や制作物一般に関する哲学的知見や倫理学的知見がそのままロボットと人間の適切な関係を説明することになる。

第二の選択肢は、対等の関係である。このときは、ロボットが原理的に人間と同等の能力をもち得るか、という類の議論と関わることになる。

第三の選択肢は、ロボットや人工知能が人間に従属するという可能性である。アイザック・アシモフの有名な「ロボット三原則」はこのような関係を想定しているように思われる。特に、「ロボットは人間を傷つけてはならない」、「ロボットは人間が与えた命令にしたがわねばならない」という命令は、奴隷に期待される社会的役割を如実に示しているだろう。現在のロボット倫理の領域においても、しばしばロボットの奴隷化が倫理的問題として挙げられることがある。[6]

ただし、第三の選択肢における問いが倫理的な問題となり得るのは、第一に、いつかはロボットが人間と同等、あるいはそれ以上の能力を獲得するという未来技術に関する確信と、第二に、奴隷や奴隷制度が道徳的に悪いという道徳的断定を前提する。人間である資格をその生命に置くにせよ、人間という生物種に置くにせよ、理性的能力に置くにせよ、もし、われわれ人間がお互いに対等であるならば、命令と従属の関係によって成立する奴隷制は人間の本性に反している。そして、将来人間とロボットを区別できなくなるならば、人間がロボットを隷属化できる正当性は見当たらない。

人間である限り共通する人間の本性とはどのようなものであるか、そこから人間の平等性は社会の中でどのような形で確保されるのか、そして平等性をわれわれは享受しているのか、といった危険な問いは一度置いておこう。しかし、ロボットを隷属化することは本当に道徳的に悪いものと断定し得るのかは、今一度考察してよい。というのは、ロボットはこれからどのようなものとなるか、そしてそれは人間へと近づくことになるのかはやはり未知数である。言い換えれば、ロボットの本性は分からない。その限りで、近代社会が人間同士の関係に求める対等性や平等性を、ロボットや人工知能の関係の中に求める必然性はない。

本章は、「ロボットは人間の奴隷となるか」という問いに、アリストテレス『政治学』の奴隷論を参照軸として、応答を試みる。ただし、この試みの中から立ち現れてくるのは、この問いに対する明確な回答よりも、むしろ人間とロボットの間にある克服し難い差異と、ロボットを社会に受容する困難さである。

2. アリストテレスの奴隷観

アリストテレスの奴隷論に対する評判は、古代史やギリシア哲学の専門家からでさえお世辞にも良いとは言えない。[7] ただし、その悪い評判の理由は、奴隷に関する彼の議論の出来よりも、奴隷と奴隷論を道徳的に悪いものとみなすわれわれの価値観に土台があるように感じられる。たしかに、彼はどのような人間が奴隷に相応しいかを論ずることはあっても、基本的には奴隷肯定論者である。[8] だがここで、彼の立場を一切合切擁護するのでもなく、一般的に奴隷が社会に存在することの道徳性自体を検討するのでもなく、ひとまず彼の言い分を確認しておくことは、人間がロボットと共存する仕方の選択肢の見通しを明らかにするためには有益であろう。

主に『政治学』で展開されるアリストテレスの奴隷論の軸となるのはギリシア語のピュシス（φύσις）の概念であろう。この語は、ラテン語においてはnaturと訳され、日本語においては「生まれ」、「本性」や「自然」と多義的に訳される、悩ましい語であるが、本章では一律的に「自然」と訳すことにしよう。

奴隷に関するアリストテレスの主要な主張は、以下のものである。

A：家は自由人と奴隷から成る。[9]
B：奴隷が存在し、支配されることは自然に即することである。[10]
C：奴隷は生命を有する家政に関する道具である。[11]
D：奴隷は主人の所有物であり、家の財産の一部である。[12]

E：奴隷には自然における奴隷と、法律慣習における奴隷の2種がある。[13]
F：自然における奴隷とは、魂が身体に劣り、魂の熟慮的部分をもたず、自らは考えることはできないが、言われていることは理解できる人間である。[14]
G：自然における奴隷は自由人と体つきが異なるが、それは自然がそうしている。[15]
H：自然における奴隷にとって、支配されることは善いことである。[16]

Aは一種の社会観をあらわす。Bは奴隷の存在を自然の概念を用いて正当化しようとしている。CとDは奴隷に関する一般的な説明である。Eは、再度自然の概念を用いて、奴隷の種類を二分する。そして、F、G、Hは「自然における奴隷」に視線を定め、その内実を語っている。

この中で「自然における奴隷」は、とりわけ非難が集中しがちである。アリストテレスは奴隷を法律習慣における奴隷と自然における奴隷の2種に分けるが、彼の意図の一部ははっきりしている。当時の現実社会には、たとえばたまたま戦争に敗れたために奴隷になるべきではない立派な人間が奴隷になることがあった。このような事態はアリストテレスにとってすら望ましくない。[17] このような望ましくない奴隷が法律習慣における奴隷である、と彼は考えている。だが、問題となるのは、法律習慣における奴隷から区別された、自然における奴隷である。Hが表明しているように、自然における奴隷が奴隷となることは善いことである。そして、自然における奴隷とはFを満たすような人間である。

では、Fに該当する人間は、自然において、あるいは生まれついてそのような人間であるのか。アリストテレスの議論に非難が集中するのは、彼は事実そのように考えているからである。Fは、自然における奴隷とそうでない人間を、各々がもつ魂の性格によって区別するように要求している。ただし、アリストテレス自身はそのように人間を判断することは困難であることに気付いている。

しかし、おそらく魂の立派さを見ることと、身体の立派さを見ることは同じように容易ではない。(18)身体の立派さを判断できたとしても、魂の立派さを判断することはできない。もし、魂の立派さは、身体とは異なり、外見から判断することは難しいのであれば、誰が自然の奴隷であり、誰がそうではないかを判断することも難しいということになる。しかしながら、アリストテレスは結局のところ、自然による奴隷の区別の判断を見た目による性格と、人種に帰しているように思われる。

自然は、自由人の身体と奴隷の身体とを異なるものになるよう作ることを望んだ。奴隷の身体は必要なものの使用に向けて屈強に作ったが、自由人の身体は背筋が張っており、そのような働きには使用できないものの、市民的な生活のためには適している。(19)

それゆえ、ある詩人は言った。「非ギリシア人をギリシア人が支配するのはもっともなことである」。つまり、非ギリシア人と奴隷は自然において同じである。(20)

なぜなら、非ギリシア人はギリシア人よりも、アジア付近の人々はヨーロッパ付近の人々よりも、性格が自然において奴隷的であるため、独裁的な支配を嫌がることなしに受け入れる。[21]

アリストテレスはバルバロイ（βάρβαροι）、すなわち非ギリシア人が自然による奴隷であるとみなしている。[22] 非ギリシア人は奴隷として支配されるのに相応しく、相応しい性格と相応しい身体をもっている。[23] このように論ずることによって、ギリシア人が非ギリシア人を支配することは正当化される。このことを現在に転用すれば、ある特定の傾向性をもつ人種や民族がそのような傾向性をもたない人種や民族を支配することも正当化されることになる。

もちろん、このような見た目や人種という観点からの支配被支配関係の正当化は、相当控えめに言ったとしても、疑念にまみれている。ここにアリストテレスの奴隷論に対する評判の悪さの根本原因があると言っても良いだろう。

ただし、ここでもう少しアリストテレスに寄り添うならば、彼のこのような主張は決して根拠がないわけではない。彼の議論は、しばしば、観察事実や通念、すなわちパイノメナ（φαινόμενα）の収集から始まり、自身の見解を語りつつも、それらを批判し、説明しようとする。つまり、彼の議論はこのパイノメナを出発点とし、パイノメナと大きな齟齬を生じさせないようにする傾向がある。もし、アリストテレスが得た観察事実や通念が異なっていれば、そこから生じる彼の見解も異なってくるであろう。もし、実験データが誤っていれば、得られる理論もおそらく誤っているのと同様である。そうであるなら、彼の奴隷論の「誤り」は、魂の構造と人種を重ね合わせる人相学的理解だけではなく、古代ギリシア人の奴隷に関する通念にも由来することになる。

とは言え、この通念がいかなるものであったかを確定させることは難しい。たしかに、古代ギリシア人には肉体的労働を軽視する価値観があり、[24]そのために奴隷は肉体的労働に従事し、市民は政治や文化的活動に従事した、というイメージは広く流布していると思われる。このようなイメージは、プラトンが『饗宴』の冒頭で描いたような、奴隷に給仕をさせ、笛を吹かせた後、エロースに関する談議に興じるギリシア人の姿とも重なる。

このようなイメージはどこまで現実のものであっただろうか。古典期のギリシア人が労働から解放された理想郷の中で知的生活を送っていたとみなし得る根拠は、実のところそれほど多くないように思われる。むしろ、ソクラテスたちが活躍した紀元前5世紀後半のギリシアの歴史をみれば、30年近くに亘るペロポネソス戦争がその大部分を占めており、地中海世界は平穏どころかむしろ騒乱の時代であった。この時代の市民の間では貧富の差が拡大しており、市民であれば誰でも奴隷を所有できたような状況でもなかった。たとえば、喜劇作家アリストファネスは『女の議会』で、ある者は多数の奴隷を抱えているが、ある者は奴隷をもたないことは正すべきであるとプラクサゴラに語らせている。[25]奴隷1人の値段は、クセノフォン『政府の財源』を参考に概算すれば、およそ115〜155ドラクマとなる。[26]ただし、この値段は単純労働をする銀山労働者の価格なのだから、素養や特殊技能があったり、若かったり、性格と見た目が良かったり担う奴隷の値段はこれよりも高額になったであろう。[27]そのような特色がないような奴隷であったとしても、熟練工の1日の賃金がおよそ1ドラクマであったのだから、単純に考えれば、熟練工の年収の半分弱がその値段となる。このようにみると、奴隷の値段はそれなりに高価であり、奴隷に労働を任せることによって生じた閑暇を利用し、政治や文化的活動に専心できた市民は多くはなかったのではないか。

もちろん、自分たちを肉体的労働から解放することは、ギリシア人がもっていた理想的生き方のひとつとしての通念だとみなすことはできる。しかし、この通念とアリストテレスの『政治学』の奴隷論が依って立つ自然の概念との繋がりは明白ではない。とは言え、彼の奴隷論は、奴隷の存在を自然の概念に訴えかけることによって正当化しようとしていたのであった。

そこで、今一度、アリストテレスが議論に奴隷を導入した最初の契機を見直すことにしよう。それは、彼が生物としての人間が国家（ポリス）を成立させるまでを物語る『政治学』第1巻第2章の冒頭である。

第一に、相手なしに存在することが不可能なものが一対となるのは必然的である。たとえば、女性と男性は子孫のために一対となる。（このことは意思の選択ではない。むしろ、他の動物や植物のように、彼らがみずからと相似な他の存在を残すことを求めるのは自然である）。また、支配者と被支配者は安全のために自然において一対となる。つまり、思考によって先のことを予見することが可能な者が支配者であるのは自然であるし、主人となる者であるのも自然である。見通したことを身体によって成すことが可能な者は被支配者であり、自然における奴隷である。それゆえ、主人にとっても奴隷にとっても有益なものは同じである。(28)

男女のペアと、主人と奴隷の組み合わせが成立する根拠が自然の概念を通じて論じられている。男女にとっては、それは「相似な他の存在を残す」ため、すなわち子孫を残すためである。他方、支配者と被支配者、すなわち主人と奴隷の組み合わせにとっては、お互いの安全、つまり自身の生存のためである。

　この引用の、主人と奴隷の組み合わせを正当化する議論には二つの思想が背景にあるように思われる。第一の思想は、一人の人間が独立してすべてのことを為すのではなく、個々の人間の能力や素養に合わせ、社会の中で分業をすることが良い、とするものである。この思想はプラトンの政治思想でも中心的な役割を果たしている。[29] 第二の思想は、人間は生物として可能な限り生き抜きたいと望む、生存主義とも呼ぶべき立場である。引用最後の、主人にとっても奴隷にとっても有益なものとは、文脈的に「安全」のことと解されるが、何のために人間が安全を求めるかとさらに問えば、それは自身が生存するために他ならない。この生存は、動物や植物と同様、人間にとっても生物としての本質的特性である。[30]

　後者の思想が奴隷論理解の中で強調されることは少ない。彼の『政治学』第1巻第2章でおそらく最も目を引く主張は、国家（ポリス）は人々が善く生きるためにある、という論点である。この「善く生きる」という標語は、ソクラテスも重視した生き方の指標として有名である。[31] そして、この論点とアリストテレスの奴隷擁護論を直結させたとき、奴隷は（少なくとも）市民が善く生きるために存在する、という理解が強調されることになる。[32] しかし、彼が村から国家へと至る社会の生成過程を展開する議論と、その中における奴隷の位置づけには注意が必要である。奴隷は基本的には家に属する一方で、国家は家の集合である村の集合である。そして、国家の中で奴隷は「善く生きる」ためには必要であろうが、それだけで十分であるわけではない。なぜなら、「善く生きる」ためには、「ただ生きる」ことが必要だからである。

　このような国家の成立に関する物語に関連して次のことを指摘しておこう。われわれは、「善く生きる」という標語に関して、理解を共有しているわけではない。もちろん、アリストテレス的に人間固有の能力である理性能力を十全に発揮する生活を送ることだ、と述べることもできる。また、プラトン的に不正ではなく正義に即して生きることだ、と主張することもできる。しかし、理性能力を発揮する生活とはつまるところどのようなものかをわれわれは知らないし、正義に即して生きることが「善く生きる」ことの、少なくともその一部であったとしても、正義の十全な理解をわれわれは未だ獲得していない以上、その生き方が正義に即した生き方かどうかを判断することすら困難である。また、これ以外にも、「善く生きる」に関する理解もあり得る。たとえば、君主に忠義を尽くしつつ生きる、という武士道精神に則った生き方をすることも「善く生きる」ことだと理解してもよい[33]。「善く生きる」という標語が曖昧さを抱えるのは、「善さ」という究極的な価値基準が内在しているからである。そして、この場合の価値とは、単なる個人の趣味嗜好という範囲を超え、社会的で文化的な多様性と歴史性を伴い、その文化がもっている世界観とも関わり得る。それに比すれば、「ただ生きる」の内実は明白である。自身の外から栄養を取り込み、そのための活動を行い、適切に休み、子孫を残す。このような生物学的要件は、先の価値の問題に比すれば、どのような社会に属する人間であっても共通である。

もちろん、個人は「ただ生きる」ことを拒否することもできるし、別の価値を提示し、それに即して生きることも選び得る。ソクラテスが脱獄することなく死罪に甘んじたことは、その好例であろう。さらに、「ただ生きる」とは異なる価値は、おそらく高尚で、もしかしたら人間的で、人間固有のものでもあり得るかもしれない。しかし、その高尚さを前にしたとしても、誰でもソクラテスのように「善く生きる」に即した行為を選択できるわけではない。その意味では、ソクラテスをはじめとした「聖人」の行いと、その背景にある価値観や道徳的理念のすべてをそのまま社会規範とすることには無理がある。

もちろん、現実的には、極限的な状況下において、ある特定の個人に対し生存することをあきらめてもらうことがあり得る。このとき、「ただ生きる」ことに価値を見いだす生存主義とは異なる価値基準は有効に機能するかもしれない。だが、「ただ生きる」ことを社会が完全に却下することはできない。それは、社会を人間が作り上げたそもそもの目的とも矛盾するし、個人を欠いた社会は存在し得ない以上、社会それ自体の存在とも矛盾する。

3. ロボットの本質的構造と価値

アリストテレスの奴隷に関する主張の中には、もちろん、現在のわれわれがもつ倫理観や社会観、人間観からは許容しがたいものを含む。しかしながら、その許容し難さが彼の自然概念の用い方にあり、人間一人ひとりが自然において、あるいは生まれにおいて本質的な差異が存するという人間理解に存するならば、奴隷を生まれながらにして本質的構造が人間と異なるロボットとみなす限りでは、この種の倫理的問題はひとまず回避できることになる。

とは言え、「人間とは何か」という人間の本質に関わる理解に人間同士のあるべき関係性にまつわる議論の骨子が依存するのと同様に、「ロボットとは何か」という理解にロボットと人間のあるべき関係性にまつわる考察も依拠するであろう。しかし、先に述べたようにこれからのロボットが技術革新によって将来どのようなものになるかは誰にも分からないのであれば、ロボットの本質的理解に厳密さを求めることはできない。そこで、本章はロボットを機能や能力の面から定義しようとする本質主義的で、機能主義的な把握をあえて断念し、素材を重視してロボットを把握しておこう。すなわち、任意の動作を行える機能を人間が与えることができるが、肉と骨といった生物的組成ではなく、無機物を中心とした組成を有し、内燃機関や電気によって動作するものがロボットである、というように仮設しよう。[34]

このとき、アリストテレスの奴隷に関する主張は、若干の修正を加えればそのまま意味をもちそうであるし、理解もできそうである。「A：家は自由人と奴隷から成る」および「D：奴隷は主人の所有物であり、家の財産の一部である」は、「A'：家は人間とロボットから成る」「D'：ロボットは人間の所有物であり、家の財産の一部である」と置き換えれば、これらは人間とロボットが共存する未来の社会のあり方の一側面を描写していそうである。「B：奴隷が存在し、支配されることは自然に即することである」を置き換えた「B'：ロボットが存在し、支配されることは自然に即することである」は、「自然」の意味の制限が必要であるが、ロボットは製造された時点から人間に服従すべきである、というような意味でロボットへの人間からの要求としてみなすことができるだろう。同様に、「G：自然における奴隷は自由人と体つきが異なるが、それは自然がそうしている」は、「G'：ロボットは人間と体つきが異なるが、それは製造された時点からそうである」、と修正できるだろう。「C：奴隷は生命を有する家政に関する道具である」は、生命の概念をずらし、さまざまなタイプのチューリング・テストをクリアできるロボットを想定しさえすれば、たとえば、「C'：ロボットは自律性をもった道具である」と変更することができるだろう。

ただし、明らかな問題を含んでいるのは、「H：自然における奴隷にとって、支配されることは善いことである」を改編した「H'：ロボットにとって、人間に支配されることは善いことである」である。この主張に対しては、直ちに次のような問いが浮かぶであろう。ロボットは善さ悪さを判断する主体となり得るのか。支配されることによって、ロボットにとってどのような善さが生じるのか。

ここで今一度、自然における奴隷にとって支配されることはどのような意味で善いのかを確認しよう。もし、馬の善さはその馬が速く走れるかどうかによって測られるように、ある事物の善さはその事物特有の機能を効率的に発揮できるか否かによって測られるとする、『ニコマコス倫理学』第1巻で展開されるような、いわゆる機能論法をもち込むならば、あるロボットにとっての善し悪しは、そのロボット固有の機能をうまく発揮できるか否かによって測られることになる。しかし、そのような観点は、善い奴隷がいかなるものかを記述することはできても、奴隷が得る善さを記述することには向いていない。むしろ、支配されることによる善さは次の文言で説明される。

> 人間と他の動物のあいだの関係も同様である。すなわち、温和な動物は、粗暴な動物よりもその自然が優れているが、人間から支配されることがそれら動物たちすべてにとって善い。なぜなら、それらの動物は安全が約束されるからである。

この引用では家畜が人間に支配されることが家畜にとっても善い理由を説明しているが、ここでも家畜自身の安全が根拠として挙がっている。つまり、(少なくとも生物種としての)家畜自身の生存が確保されるので、人間に支配されることは家畜にとって善い、ということである。この観点は奴隷にとっても成り立つ。奴隷にとって支配されることが善いのは、奴隷自身の生存が確保されるからである。少なくともこのことが、奴隷が支配に甘んじる根拠のひとつであろう。[36]

この根拠は、主人と奴隷との関係に関する一面を明らかにする。つまり、「C：奴隷は生命を有する家政に関する道具である」とアリストテレスは述べてはいるが、これは主人が奴隷を通じて一方的に利益を得る、という関係ではないことを示している。奴隷もまた、主人の支配にしたがうことによって、少なくとも生命の保全を得るからである。この意味では奴隷は単純な道具ではない。生命を有するという限定は、このような互恵性を発生させる。

だが、このような生存主義や互恵性を、ロボットと人間の関係に適用できるだろうか。人間から支配されなければロボットは生存できない、という関係はもしかするとすでに成立しているかもしれないが[37]、そもそもロボットは生存しているのだろうか。ロボットにとって生存していることは善いことなのだろうか。むしろロボットは生命をもたない道具にしかすぎないように思われる。

もちろん、技術的に、自身の生存を善さとみなすようなアルゴリズムを搭載すればよい、と言う人もいるだろう。さらに、もっと慎重に、ロボット自身が生存するためには、必ず人間からの直接のケアを必要とするようなアルゴルズムが適切だと考える人もいるかもしれない。しかし、このようなアルゴリズムを搭載することは、実のところロボットにとって本質的ではない。

この点をより先鋭化するために、前節の引用における「主人にとっても奴隷にとっても有益なものは同じである」に再度着目しよう。ここで有益なものとは、生存主義に立てば生存に他ならない。ここで一歩踏み込むと、有益なものとは、生物学的に必要とするものである。すなわち、水や食料、適度な運動、適度な休息は、主人にとっても奴隷にとっても、両者とも人間である限り、有益である。個人に程度の差はあれ、人間であれば生存に必要な事物や環境は収束する。さらに、人間と動物の一部も、有益なものを共有している。空腹になれば食事をするし、疲れれば眠る。

　また、わずかな観察と想像力があれば、足を押さえてうずくまっている人は足に怪我をしているのだと把握することは容易である。目の前にいる人が空腹に苦しんでいることも同様である。そのときに感じている苦痛に共感することもできる。

　しかし、ロボットはそうではない。われわれが飲み食いするものをロボットは飲み食いできないし、ロボットが動くために必要な電気エネルギーはわれわれにとって有害ですらある。アルゴリズムによってわれわれが飲み食いするものを選好するように調整したとしても、ロボットがこのような感覚をもつことは本質的ではない。

　ここで本質的ではない、というのはこのようなことである。チューリング・テストが示唆する人間観にしたがえば、ロボットの足に障害が起きたときに、人間と同じようにうずくまるように振る舞ったり、エネルギーが切れそうなときに、人間と同じように空腹を感じているように振る舞ったりすることができれば、そのようなロボットは人間に近いとみなせるだろう。もっとうまくやれば、そのロボットは人間である、ともいえるかもしれない。しかし、そのように振る舞わないようにロボットを設計することもできる。そのため、このようなロボットの振る舞いは模倣であり、演技である。だが、人間や動物の場合は、そのように振る舞うことは生物学的な本能に拠るのであり、そのように振る舞わない場合は生存から遠ざかる。足を怪我したときにうずくまらなければ、その怪我は悪化するだろう。

　ロボットと、人間や生物の間には、そこまでの価値の隔たりが存在する。その隔たりは、相互理解によって解消されるようなものではないだろう。なぜなら、現状のロボットの大部分は無機物を内燃機関や電気によって動かすことによって動いているのであって、骨や筋肉、血液や神経で動いているわけではないからである。ここで、人間とロボットの相互理解に近づくために、ロボットを可能な限り生物学的組成と同じように設計し、作成すればよいと提案する人がいるかもしれない。「ロボット」という語を広めたカレル・チャペックのロボットはどちらかというと生物的である。人間と同じものを食べて、それをエネルギーとして運動し、損傷があれば回復する。もちろん、そのようなロボットは相互理解の問題は回避されるかもしれない。しかし、結局のところそれは人間を生物工学的に作ることとほぼ同義である。[38] このとき、人間が工学的に人間を作ってよいか、という別の倫理的問題が発生する。

それでもなお、ロボットをわれわれの生活に導入し、その共存を目指すのであれば、いつかわれわれには次のように問わねばならないときが来る。

「われわれは原理的に異なる価値観をもたざるを得ない者と共存することは可能か？」

この問いに筆者は肯定的に答えられない。一度次のように反省的に問うてみるとよい。文化的に異なる価値観をもつ、同種の生物たる人間同士でうまく共存ができているだろうか。否、文化的に同一の価値観をもっていたとしても、人間同士はうまく共存してきたであろうか。もちろん、歴史的にみればある一定の期間、そのような時代地域はあったであろう。だが、おそらくそれは人類の歴史の中で特筆せねばならないほど希な時代地域なのではないだろうか。

もし、国家あるいは社会が統一性を保つためには、プラトンが語るように「喜ぶべきものの一致」が必要なのであれば、[39] ロボットとの共存は、人間同士の共存よりもはるかに高いハードルを超えねばならない。

4. われわれは奴隷を作るのか

たしかに、単なる道具ではなく、奴隷としてのロボットが傍にいれば、われわれは生存をもっと盤石にできる可能性はある。しかし、この可能性は、すでに何度もSF的作品で扱われてきた恐怖も同時にわれわれにもたらす。

だが、本章はこの恐怖について詳論するのではなく[40]、今一度、アリストテレスの奴隷論に戻ろう。彼によれば、知性によって未来のことを予見できる者が支配し、そのような能力はもたないが身体的に優れた者が支配されることが自然である。おそらく、そのようにした方が支配する側も支配される側も安全を得られ、生存しやすくなるだろう。

だが、実のところ、すでにわれわれは、われわれよりも未来のことを予見できるものを作ってしまっている。天気予報やタクシーの配車システムを思い起こせばよい。そして、このようなシステムが与える情報や指示に、すでに人間はしたがっている。

もちろん、この事態を支配と呼ぶか、という疑念を提起することはできるだろう。われわれは天気予報や配車システムにしたがうことを選択したのであって、選択しない自由は残っている。このようなシステムは従うことをわれわれに強いたわけではない。だが、合理的に考えれば、このようなシステムは天気予報や配車システムにしたがわないことは、われわれに不利益をもたらす。したがわないことそれ自体が、その人間に未来のことを予見できない、理性を欠いた者という烙印を押す。

陳腐な筋立てであるが、われわれは奴隷を作ろうとしたが、われわれ自身が奴隷となっていた、という将来の展開はありそうであるし、もしかするとすでにそうなっているのかもしれない。しかも、より深刻なことに、そのとき人間の主人となるシステムやロボット、あるいは人工知能は、われわれ人間とは本質的なレベルで価値を共有できない事物なのである。

それでも、われわれは、とにかく自分自身に対しては主人であり続けることを選ぶのだろうか。それとも、主体的に判断することを放棄し、奴隷として活動することを選ぶのだろうか。(41)「ロボットと人間との共存」という謳い文句は、少なくとも本章で論じただけの決断を人類に強いることになる。

だが、そもそもこの選択は誰が成し得るのだろうか。

【註】

(1) 内閣府、11頁。

(2) 内閣府、13–15頁。

(3) 「ロビタ」は、事故死から再生手術で復活したが、その結果人間が無機物のように見えるようになってしまった青年の「心」を、彼の遺言によってアンドロイドに移植することによって誕生した。人間臭さを残すこのロボットは、オリジナルが寿命となったのちにも、そのコピーが大量生産され、ずっと人気商品であり続けた。しかし、ロビタを慕う人間の子どもが農場の危険区域に入った結果死亡するという事件が起き、その農場にいたロビタ全員に死刑判決（溶解処分）が下された。その処分が実施されると同時に、地球上すべてのロビタが溶鉱炉に身を投げた。ただ、月で労働に従事していたロビタだけが残されたが、このロビタも主人の人間を殺害し、自ら電源を切って自殺を図る。

(4) ロボット倫理やAI倫理では、実際の工学的研究から離れて、人間と自律的な人工物が対等の関係性を有するための条件がしばしば問われることがある。多くの場合、対等な関係を結ぶための条件は、意図、意識、自由意志、感情といった近代的な人間観にみられるような能力を、その人工物がもっているか否かによって考察される。そして、この種の条件は人工物が完全に道徳的な行為者(agent)とみなされるための条件として扱われる。
(5) Cf. Moor, p. 8, p. 18. Allen, et al, p. 53. McDermott, p. 96. Sullins, pp. 152－158.
(6) これを満たすようなロボットが開発されるか否かに関する悲観的な想定については、本書第1章(西野論文)を参照。
(7) Coeckelbergh, p. 240. Petersen, pp. 156－165. Solum, pp. 1277－1279.
(8) たとえば、カードリッジ pp. 213－216. Mulgan, p. 40.
(9) アリストテレスは、彼が所有していた2人の女奴隷を解放するように遺言状に残していたとも言われている(ディオゲネス＝ラエルティオス『ギリシア哲学者列伝』第5巻第1章14－15)。この伝承が事実であれば、彼の奴隷論に関する評価は若干向上するかもしれない。ただし、本章で確認するように、従属すべき奴隷とは、実際に奴隷の身分に落ちた人間ではなく、専ら「自然の奴隷」にある。それゆえ、この伝承は、奴隷に相応しくない人物をその身分から解放した、という事例としてみなすべきかもしれない。
(10) アリストテレス『政治学』第1巻第2章1252a26－34、第3章1253b4　なお本章のギリシア語文献の翻訳は筆者によるものである。
(11) アリストテレス『政治学』第1巻第2章1252a34－b6。
(12) アリストテレス『政治学』第1巻第4章1253b31－1254a10。
(13) アリストテレス『政治学』第1巻第4章1252b31－1254a10、第8章1256a1。同書、第2巻、第7章1267b10。
(14) アリストテレス『政治学』第1巻第6章。
(15) アリストテレス『政治学』第1巻第5章1254b16－23、第13章1260a9－13。
(16) アリストテレス『政治学』第1巻第5章1254b27－31。
(17) アリストテレス『政治学』第1巻第5章1255a1－3。
(18) このような考えは、エウリピデスの悲劇『イオン』850ff. にみることができる。
(19) アリストテレス『政治学』第1巻第5章1254b38－1254a1。
(20) アリストテレス『政治学』第1巻第6章1254b27－31。
(21) アリストテレス『政治学』第1巻第2章1252b7－9。
(22) アリストテレス『政治学』第3巻第14章1285a19－22。

(22) ギリシア人が非ギリシア人奴隷の主人足るべし、という見解はプラトン『国家』第5巻469B－Cにも垣間みえる。

(23) 人間の性格がその人間の身体にも影響を与えるという考えは、近年では偽書とみなされる『人相学』にもみられる。

(24) cf. ブルクハルト p. 158, pp. 211－212, p. 216。

(25) アリストファネス『女の議会』村川堅太郎訳、岩波書店、1954年、593頁。

(26) クセノフォンは、銀山奴隷は1日1オロボスをもたらすが、その数が1年目に1200人であったなら、5、6年後にはその収入だけで6000人になると述べている。(『政府の財源』第4章23)。仮に銀山奴隷の値段をp(単位：オロボス)として、その奴隷を350日働かせ、奴隷を1年に一度、その年に得た収入で新たに調達し、他方で奴隷が老衰や死亡によって働けなくなることがなかったとすると、n年目の奴隷の数は1200×(1＋350／p) n-1とあらわされる。5年目、あるいは6年目の奴隷の人数が6000人としてpを解くと、pはおよそ700から950となる。1ドラクマは6オロボスだから、銀山奴隷の値段はおよそ115ドラクマから155ドラクマとなる。cf. Jones, pp. 188－189.

(27) ディオゲネス・ラエルティオスによると、シラクサ渡航の後、一度奴隷として売られそうになった老いたプラトンは20ムナ、あるいは30ムナの身代金で解放されたことがある(ディオゲネス・ラエルティオス『ギリシア哲学者列伝』第3巻20)。1ムナは100ドラクマなので、プラトンの身代金は銀山奴隷の15～20人分の値段であった。

(28) アリストテレス『政治学』第1巻第2章1252a25－34。

(29) この論点をプラトン『国家』第2巻369E－370Cで最初に提示した後、プラトンはその後の議論においても頻繁に強調する。

(30) cf. アリストテレス『魂について』第2巻第2章413a20－22。

(31) たとえば、プラトン『クリトン』48B。

(32) Hunt, p. 196.

(33) 本書第7章岡田論文参照。

(34) この機能の中には、感情や情念をもつ、といった人間同様の振る舞いをすることも含まれる。

(35) アリストテレス『政治学』第1巻第5章1254b10－12。

(36) 国家が、自由人だけではなく、奴隷も「善く生きる」ために作られたものかという問題については論争があるが、本章では触れない。

(37) ロボットを直接メンテナンスできるようなロボットは未だ現存しないだろう。

(38) そのように生産された「ロボット」が人間の代替となれるような経済的効率性をもつかどうかは、筆者にはネガティブであるように感じられる。

(39) プラトン『国家』第5巻562B。

(40) 本書第3章伊多波論文参照。

(41) 後者を堕落であると非難することは容易であるが、現在においてもわれわれは前者を積極的に選んでいるだろうか。

▲参考文献▼

- Allen, C., Wallach, W., Smit, I., 'Why Machine Ethics?' In Anderson, M., Anderson, S. L. (eds.) *Machine Ethics*, Cambridge University Press. 2011, pp. 51－61.
- Burckhardt, J. *Griechische Kulturgeschichte*.1897. (J・ブルクハルト『ギリシア文化史』第1巻、新井靖一訳、筑摩書房、１９９３年)
- Cartledge, P., *The Greeks: A Portrait of Self and Others*, Oxford University Press, 1993. (ポール・カートリッジ『古代ギリシア人――自己と他者の肖像』橋場弦訳、白水社、２００１年)
- Hunt, P., *Ancient Greek and Roman Slavery*, Willey-Blackwell, 2018.
- Coeckelbergh. M., 'Moral appearances: emotions, robots, and human morality', *Ethics and Information Technology* 12, issue 3, 2010, pp. 235－241.
- Jones, A. H. M., 'Slavery in Ancient World', *The Economic History Review*, Vol.9, No. 2, 1956, pp. 185－199.
- Moor, J. H., 'The Nature, Importance, and Difficulty of Machine Ethics', In Anderson, 2011, pp. 13－20.
- Mulgan, R. G. *Aristotle's Political Theory: An Introduction for Students of Political Theory*, Clarendon Press. 1977.
- Petersen, S., 'Is it Good for Them Too? Ethical Concern for the Sexbots,' In J. Danaher & N. McArthur

(eds)., *Robot Sex: Social and Ethical Implications.*, 2018, pp. 155 – 171.
- Solum, L., 'Legal Personhood for Artificial Intelligences', *North Carolina Law Review*, 70, 1992, pp.1231 – 1287.
- Sullins, J. P. 'When Is a Robot a Moral Agent?' *In Anderson*, In Anderson, 2011, pp. 151 – 161.
- 内閣府「第5期科学技術基本計画」 https://www8.cao.go.jp/cstp/kihonkeikaku/5honbun.pdf（アクセス：２０１９年６月３日）

謝辞

本稿は、ＲＩＳＴＥＸ、ＪＰＭＪＲＸ１７Ｈ３に加え、ＪＳＰＳ課題設定による先導的人文学・社会科学研究推進事業ＪＳＰＳ００１１８０７０７０７、東洋大学重点研究推進プログラム「22世紀の世界哲学構築にむけて」の支援を受けたものです。

松浦和也　**まつうら かずや**

１９７８年、大阪府生まれ。東京大学文学部卒業、東京大学大学院人文社会系研究科修了。博士（文学）。東京大学大学院人文社会系研究科助教、秀明大学学校教師学部専任講師を経て、２０１８年より東洋大学文学部哲学科准教授。

専門はギリシア哲学。主要業績に『アリストテレスの時空論』（知泉書館・単著）、『世界哲学史Ｉ―古代Ｉ　知恵から愛知へ』（筑摩書房・共著：第６章「古代ギリシアの詩から哲学へ」）がある。また、国立研究開発法人科学技術振興機構（ＪＳＴ）社会技術研究開発センター（ＲＩＳＴＥＸ）「人と情報のエコシステム」（ＨＩＴＥ）研究領域において、「高度情報社会における責任概念の策定」（企画調査・２０１６年度）、「自律機械と市民をつなぐ責任概念の策定」（研究開発プロジェクト・２０１７－２０２０年度）の研究代表者を務め、哲学的考察を媒介にして、科学技術と市民、社会を円滑に結びつけるための研究開発活動を行っている。

第7章

自律機械と日本思想

仏教と武士道における所有について

岡田大助

1. はじめに

本研究でわれわれに課せられた課題は、大きくいえば、哲学や思想の研究から得られた知見を社会に活かすことである。なかでも、今日いわゆる人工知能といわれる自律機械が社会のさまざまな場面で実際に活用されつつあるなかで、そこで問題となることについて、さまざまな専門分野からの知見を集めて、回答を試みることが求められている。とりわけ、今回の研究でわれわれに与えられた課題は、自律機械の「所有」をめぐる問題である。この所有について、自律機械との関わりで、あらかじめわれわれには以下の課題が与えられている。

1. 自律機械が作ったものは誰のものなのか
2. 自律機械はものを所有できるのか
3. 我々人間は自律機械を所有できるのか

まず、本章では所有をごく一般的に、誰かが何かを自らのものとして持つこと、と定義しておく。[1]この所有という言葉は、今日学問の世界で一般的に問題とされる際には、概ね近代以降に西洋から移入されてきた基本的な人権の一つである所有権というときの所有という意味で使用されているように見える。すなわち、個人に保証される財産権のなかの最も基本的なもので、物を全面的に支配する物権という意味で理解されていると思われる。この所有権については、法律や経済、哲学などの世界で厳密な定義と議論が積み重ねられており、日本思想を専門とする門外漢の私に、何か言えることはない。

しかし、今日の一般的な日本人が所有というとき、いわゆる所有権の意味だけで使っているわけでは必ずしもないのではないだろうか。確かに、一方で、法律や経済の世界で問題とされている所有権の意味は、常識的な意味としてそれなりに意識してはいる。しかし、日本にはそれとは別の伝統的な思想に基づく所有観がいくつかあって、それらが並行して今日の一般的な日本人の所有観を形成しているように見える。もしそうであるとすると、われわれが一般的な所有観について考えるときに、いわゆる所有権とは別に、今日の学問の世界ではあまり意識されることのない日本の伝統的な所有観を取り出してみることにも意味があるはずである。

以上のような問題関心のもと、本章ではいわゆる所有権についての議論は措き、上述したようなごく一般的な定義のもとで所有を理解し、その一部を形成するものとして、日本の思想史において今日まで強い影響力をもってきたとされる伝統的な思想の所有観をいくつか跡付け、その上で、与えられた問題への回答を試みることにする。

さて、所有に焦点をあてて日本の伝統的な思想を振り返ってみるとき、注目されるのは、仏教の所有観と武士道の所有観である。仏教の所有観は、空・縁起という枠組みで世界を捉え、その結果として所有をそもそも成り立たないものとみなす。そして、にもかかわらずそれにとらわれることを苦しみの原因とみる。仏教は、所有の価値を否定しているのである。

他方、敵対勢力と対峙し、勝つために所有に徹底してこだわった武士達は、一方で仏教的な世界観の影響下にあって所有の価値を相対化する視点をもっていた。しかし、所有を否定しきるのかといえばそうではなく、他方で世俗的な世界にあって所有にこだわり続けた。

本章では、この仏教と武士道の所有観について、その内容を跡づけた上で、与えられた問いへの回答を試みることにしよう。

はじめに、仏教の所有観について見ていこう。[2]

2. 空・縁起・慈悲

日本に伝わってきた仏教は、大きくいえば大乗仏教に属するものだが、それらに共通するのは、空・縁起・慈悲の思想である。[3]

空とは、あらゆるものは、それ自体として変わらない実体ではない、ということである。たとえば、われわれはこの私の身体を、通常変わらぬ確かなものであると信じ、それを拠り所として生きているが、実際は、細胞のレベルで見ると、例外的に変わらないごく一部の細胞を除けば、時々刻々と変化しており、一定の時間が経つともはや前と同じであるとはいえない。さらに、遅くとも死ぬときには、身体を構成するあらゆる物質は変化して朽ちてしまい、もはやわれわれのものではなくなってしまう。したがって、われわれがわれわれの身体を変わらぬ確かなものとして拠り所とすることはできない。そして、われわれの身体についていえることは、あらゆる物についてもいえる。

とはいえ、それでは仏教は、何も拠り所とはならないとする一種のニヒリズムであるのかと言えば、そうではない。仏教は、まずは空という現実を踏まえた上で、そこからさらにあらゆるものとのつながりを見いだし、本当の幸せへと至る筋道をつける。それが、空から連続する、縁起というものの見方である。

縁起とは、縁って起こるという意味で、あらゆるものはすべての他のものとの関係においてあるということである。すなわち、あらゆるものはすべてあらゆる他のものと関係の中にあって、それら他のものに活かされてある、ということである。たとえば、発芽した木の芽は、種子だけを原因として発芽できるわけではない。他に、それに養分を与える土が必要であり、さらに、その土を成り立たせるには、周囲の樹木の葉が落ち葉となることや、それを土へと分解する微生物が必要である。あるいは、発芽に必要な水分が、雨や雪解け水などから得られねばならない。であれば、雪や雲、雨もまた、それに木の芽の発芽に一役買っていることになる。また、植物を生長させるためには光合成のための日光や太陽の暖かさが必要である。だとすると、太陽のおかげを被っているともいえる。等々、発芽した木の芽を成り立たせているものをあれこれと探っていくと、やがて全宇宙のあらゆる事象とつながってしまう。木の芽は、それ自体を原因として発芽しているのではなく、全宇宙のあらゆるものによって活かされてあるのである。同様に、われわれ人間一人ひとりは、あらゆるものに活かされてあるということができる。これが、縁起というものの見方である。そして、以上見てきたような空や縁起から、慈悲という生き方が必然的に導き出されることになる。

慈悲とは、生きとし生けるものを平等にあわれみ慈しむべきである、という思想である。なぜ、慈悲に生きなければならないのか。それは、空、そして縁起というものの見方を受け入れるとすると、あらゆるものが幸せでなければ、われわれの幸せもないからである。すなわち、空であるから、われわれ自身はそれ自体では根拠たり得ず、かつまた、縁起であるので、われわれはすべて他のあらゆるものと関わり、それらに活かされてある。そうであるならば、われわれ自身が幸せになるためには、あらゆるものが幸せでなければならない。われわれは、あらゆるものに活かされてあるので、それらすべてのものが幸せでなければ、われわれの本当の幸せはあり得ない。したがって、われわれは、あらゆるものの幸せのために生きねばならない、ということになる。これが、慈悲である。

3. 仏教における「所有」

このような仏教の空・縁起・慈悲の思想からすると、われわれがいま問題としている「所有」については、つまるところそもそも成り立たないという極めて否定的な評価が与えられることになる。すなわち「所有」とは誰かが何かを持つということであったが、それが成り立つ前提には、所有する主体である誰かにも、その対象である何かにも自己同一性がなければならない。しかし、空や縁起という認識方法に照らし合わせると、その誰かも何かも実はそれ自体として変わらない実体的なものであるのではなく(空)、あらゆる他のものとの関係の中にあってそれらに活かされてある(縁起)のであった。そうであるとすると、所有する主体にも、所有される客体にも、自己同一性はない、ということになる。前提となる自己同一性が成り

立たない以上、所有はそもそも成り立たないのである。(4)

そして、そうであるにもかかわらず、所有を求めるならば、それは誤った現実認識に基づくもので、その現実に裏切られて必ず苦しみに帰結することになる。すなわち、所有への欲求とは、もう少し詳しく言い換えると、変わらない誰かが変わらない何かを持つところに安心や喜びがあるとみなし、誰かが何かを持つことを求めることである。しかし、実際にはその誰かも何かも時々刻々と変化し、やがては朽ち滅びるものである。したがって、所有を求めることは、予想に反して安心も喜びも得られず、必ず苦しみに帰するということになる。

たとえば、誰かが家、いわゆるマイホームが欲しいという願いをもったとする。そして、実際にそのために働いてお金を得て、そのマイホームを購入したとする。しかし、実際にマイホームを得てしまえば、はじめは喜ばしかったものの、しばらくすると慣れてしまい、喜びは続かない。さらには、持つ前には気がつかなかった不満がいろいろと出てくる。このように、持つ側の心は次第に変化するものである。しかも、持たれる側の家についても、時を経るとともに劣化し、やがては滅びるものである。持つ者と持たれる物両者の変化によって、喜びも満足も続かないのである。となると、誰かの家を持つことができれば満足や安心が得られるという願いは、予想に反して、必ず裏切られ、苦しみに帰するということになる。(5)そして、マイホームにいえることは、あらゆるものにもいえる。このように見ると、所有への欲求は苦しみの原因であり、つまるところ無意味であるということになる。これが、仏教の空・縁起というものの見方に基づく、所有への評価である。

では、どうすれば良いか。仏教によれば、所有に執着することを離れ、慈悲に生きるのが良いとされる。

たとえば、仏教の思想を受け入れた者は、出家することが理想の生き方とされる。出家とは「無一物で自己を習う」と言われるように、あらゆる所有への欲求から離れて、自己の本当の姿を仏に習う生き方をすることである。そこで、徹底して慈悲を体現した仏の生き方に倣い、あらゆる生きとし生けるものの本当の安楽のために生きるのである。

それでは、所有を求めることを離れ、慈悲に生きるとはどういうことか。この点について、大乗仏教の経典には、さまざまな形で描かれている。なかでもよく知られているのは、本生譚と呼ばれる過去世のお釈迦様がまだ菩薩として仏になるための善行をしていた頃のさまざまな物語である。たとえば、それらをいくつか集めた『三宝絵』と呼ばれる仏教説話集にはおおよそ以下のような説話が収められている。

折波羅国（しゃくはら）の王の独り子であった須太那（すだな）太子は慈しみが深く、求めに応じて何でも与えることを志とし、その通りに実践して人々に慕われていた。しかしある日、賊を退ける国防の要であった強力な象を、賊の策略に乗せられて求めに応じて与えてしまう。国の大臣にその責任を問われた太子は、庇いきれなくなった王に深山への隠栖（いんせい）を命じられる。どうしてもついて行くと言った妻と、男女それぞれ1人ずつの子ども2人を連れたその山への道行きにおいて、太子は、わずかに持って行くことを許された馬や車、果ては衣類まで、請われるままに与えてしまう。やがて山に着き妻子と極めて質素な暮らしをはじめるが、そこに貧しい老人が太子の噂を聞きつけて現れ、子ども2人を老い衰えた自らを養うための召使いへと請う。太子は、老人への憐れみと、我が子への慈しみとの間で引き裂かれるような思いに駆られながらも、志により、請われるままに子どもたちを与えた。さらに、訪れた別の人に容姿も心も優れた妻を請われた太子は、これも志にしたがって引き渡した。そのとき、世界が大きく振動した。そして、妻を請うた老人が、実は帝釈天であったことを自ら明かし、その志の深さを賞賛する。その後、老人に与えられた子どもたちは、さらに奴隷として売られそうになったところを国で王に保護された。また、太子は帰国を許され、その道行きには、象を奪った盗賊が、お詫びとして宝で飾った象を返しに来た。帰国後、太子はより一層布施に励み、民は富み、盗人はいなくなり、牢舎はなくなり、攻めてきた国は来る度に戦いを止め、世界は平和になったという。(6)

ここには、所有への欲求を廃し慈悲に生きるとはどういうことかが、説話という形式で詳しく記されている。すなわち、慈悲に生きるとは、求めに応じて持てるものを徹底して与え続けることである。その際、自分が持てるものに対する慈しみと、与える相手に対する慈しみとが、ときに矛盾し、両者に引き裂かれて煩悶することもある。しかし、それを乗り越えて徹底して与えていった先に、その生き方が人々を感動させ、その感動した人々が自らも生かし生かされる慈悲に生きるようになっていくさまがありありと描かれている。

しかし、このような過去世の釈迦のありようは、われわれが直ちにに現実の社会に応用できるものではない。いくら理屈で納得し、あるいは憧れてその真似をしようとしても、ここまで厳しい慈悲の実践に、通常の人間の心身は堪えられないからである。あるいは仮に、それでも徹底して慈悲の実践に努めた人があったとしても、相手に通じるとは限らない。相手がむしろそこにつけこんできて、一方的に奪っていく可能性もある。このように見ると、過去世の釈迦の慈悲に徹底したありようは、そう簡単に現実の社会に応用できるものではない。

この種の仏教説話が過去世の釈尊の物語として語られていることも、われわれの現実との遠さを暗に示しているといえる。仏が仏教の究極の理想であるように、仏教の目指す慈悲のありようは、われわれにとっては仮にその生き方を学ぶべきものとして受け入れるとしても、さしあたりはるか彼方にある理想であって、ただちに行い得るものではない。

では、仏教の生き方を社会で現実に生きて行くことに応用することはできないのだろうか。古来、日本人は、仮に過去世の釈迦ほど徹底したものではないにせよ、仏教の理想を現実の社会に間接的に投影することで、さまざまな社会問題の解決の指針としてきた。たとえば、聖徳太子が制作したとされる十七条憲法は、仏教の空・縁起という認識と、慈悲の理想を踏まえ、それらを官人のあるべきありように応用している。すなわち、仏教の精神を尊重し（第2条）自らの考えに対するとらわれから離れ（第10条）、お互いに和し（第1条）、独断を離れて（第17条）なにごとも衆議で決めると、おのずと道理にかない上手くいくという（第1条）。あるいは、今日まで少なくとも日本では仏教のあらゆる宗派で出家のみならず在家に対しても仏教で広く勧められている「六度万行」とよばれる善行がある。すなわち、布施（与えること）、持戒（決まりを守ること）、忍辱（堪えること）、精進（努力すること）、禅定（正しい心の集中）、智慧（正しい認識）の六つである。なかでも重視される布施は、慈悲に基づくものであるが、僧侶のみならず、一般の信徒に対しても、さらにいえば、仏教徒ではないごく一般的な日本人ですら、日常生活の指針とすることが広く行われている。

日本人は今日まで、説話に登場する釈尊ほどではないものの、所有への執着を離れ慈悲に生きることを、社会で生きていくことにできる範囲で応用してきたのである。

4. 問いへの回答

以上、ごく簡単にではあるが、仏教の空・縁起・慈悲の思想と、そこから見た所有観、そして、その社会への応用について跡づけてきた。以上を踏まえ、われわれに与えられた最初の問いへの回答を試みよう。

1. 自律機械の産物は誰のものか→誰のものでもない
2. 自律機械は誰の物か→誰のものでもない
3. 自律機械を所有することができるか→できない

空、縁起という考え方からすると、所有というものは成り立たないので、答えは以上となる。さらにいえば、上記の1の問題から派生する、自律機械に所有権を与えるべきか否か、という問題についても、次のように回答できる。すなわち、所有とは苦しみの原因であるので、仮に自律機械が人との境界が危うくなるかそれ以上に発達したと仮定しても、自律機械に所有権を与えることは必要がない。なぜなら、自律機械に所有権を与えるべきか否かという議論の前提には、所有権を肯定的な権利とする見方が隠れているが、仏教では所有を苦しみの原因と捉えるので、この前提は成り立たない。であれば、作りだすものにわざわざその苦しみの原因を与える必要はないからである。

このように、縁起・空という認識から所有はそもそも成り立たず、それを苦しみの原因とみなす仏教の所有観は、ともすれば近代的な常識の上に立って所有を無批判に肯定して生きている今日のわれわれの盲点を付き、所有の価値を相対化する視点を思い出させてくれる。とはいえ、これでは所有権を基本的な人権として肯定的に捉えることを大前提とする現代社会の常識や法律とはかなりの落差がある。これをそのまま現代社会に応用することは難しい。間接的に応用するとしても、所有の価値を前提しつつ、応用する方法で、学べるものはないだろうか。そこで次に、現代人と同様、所有を肯定し、それに強くこだわってきた武士達が、にもかかわらず仏教を信じることで、所有への欲求を相対化し、慈悲を生きる指針としてきた思想を跡づけてみることにしよう。そこからわれわれは、所有を相対化しつつ所有を求めるという、所有に対する複層的な視点を取った生き方を学び、今日の問題に応用することができるかもしれない。

5. 武士道における所有

武士道とは、平安時代末期から明治時代の初めに滅びるまで活躍した一つの社会的身分である武士達が、自らの生きる拠り所としてきた一つの生活思想である。一般的に、武士道といえば、新渡戸稲造の『武士道』に書かれているような仁義や忠義といった道徳を重視する生き方が想起される。しかし、それは当の武士が滅びてからしばらくたった明治時代のなかばに別の意図をもって作られたいわゆる「明治武士道」[7]（菅野、2004年）の規定である。本来の武士とは、「戦闘を生業とし、私有の領地の維持・拡大を生活の基盤とし、目的とする存在」[8]（菅野、2003年）であったとされる。すなわち、武士は存立をかけて敵対勢力と対峙している状況が常態であり、常に帯刀・武装していることを特徴とし、何よりも敵に勝つことを重視した。そのため、所領の維持拡大に徹底してこだわった存在でもあった。この点で、所有に徹底してこだわった存在であるともいえる。他方、代表的な武士道書『甲陽軍鑑』や『葉隠』は、それぞれの仕方で、所有へのこだわりを相対化する視点を併せもっている。以下、代表的な武士道書『甲陽軍鑑』と『葉隠』から、その内容を辿ってみることにしよう。

6.『甲陽軍鑑』の思想と所有

まずは、『甲陽軍鑑』（1575年–1586年頃成立）から見ていこう。『甲陽軍鑑』は、戦国大名、武田信玄と勝頼の事跡を中心に、その領国に関わる説話を集めたものである。その内容は法令から教訓まで多岐にわたり、多様な読み方が可能だが、たとえば、一つの軍記物語のように読むこともできる(9)。すなわち、ちょうど『平家物語』が平家一門の栄華から没落までが描いているように、武田家の栄華から没落にいたるまでが描かれていると読むのである。まずは武田信玄が、自らを疎んじ、廃嫡しようとした父親との争いを制して領国の領主となり、53歳でなくなるまで、生涯にわたって北条氏康、上杉謙信、織田信長、徳川家康といった名だたる大名を相手に、相手領内に攻め入り奪い取ることはあっても、一度も郡や城を攻め落とされるようなことがなく、勝ち続けて徐々に領土や配下を増やし、やがて天下を臨み、家康や信長を破って上洛しようとするにいたる武田氏の栄華が描かれる。しかし、続けて、その途上で信玄が急病によって急死し、次の勝頼の代になると、しばらくは勝ち続けたものの、やがて長篠の合戦という大きな戦で信長と家康に大敗し、その後領国や配下が敵対勢力に奪われて次第に縮小してゆき、やがて一族郎党や所領を含めた所有物一切を失って滅んでいく没落の様が描かれている。

このように、武士は戦に勝てば領土や配下を得て勢力を拡大することができたが、負ければ領土や所有物のみならず、ときに一族郎党と自らの命まで、文字通り持てるすべてを失った。そこで武士は、徹底的に領土や財産、配下の所有にこだわった。多く持っている方が勝って生き残りやすく、持っていない方は負けて滅びやすいからである。

とはいえ、では所領をはじめ、物を多く所有することが究極の目的であったのかといえば、そうではない。武士は自らの総合的な実力を証明することを何よりも重視した。名声を尊ぶのは、その延長である。よって、そのより上位の目的のためには、ときに何の未練もなく所有へのこだわりを捨てたという。たとえば、後世の武士道書において理想の武士と仰がれる斎藤別当実盛（さねもり）は、かつて富士川の合戦で敗走した汚名を人生の最後に晴らすため、源平の争いにおいて負ける見通しが高かった平家について、絶望的な敗戦の中、その流れに逆らって勇敢に戦い、死んで見せた（『平家物語』「実盛最後」）。ここでは、勝つ可能性の高い源氏について命をつなぎ領地を得るよりも、すべてを失ってでも己の実力を証明し、自らの汚名をそそいで名声を守ることの方が大切であったのである。(10)

さらに、『甲陽軍鑑』で理想の武士と仰がれる武田信玄は、生涯にわたって戦に勝ち続け、領土をはじめとする所有物を増やし、名声を高めていった一方で、実力を証明するための名声とは別に、所有や名声への欲求を相対化する視点を併せもっていたとされる。『甲陽軍鑑』品第4では、武田信玄が31歳で出家した理由がいくつか列挙されている。そこには、大僧正になるため、あるいは、父を滅ぼした罰で自らも滅ぶのをあらかじめ先取りし名声が落ちるのを防ぐためというような、総じて言えば名声のためという理由も記されている。(11) しかし、列挙される出家の理由の一つに、運が尽きたら何も役には立たず滅びる他ないが、あらかじめその滅びを覚悟することで、滅びを先延ばしにするため、というものがある。ここで、後述するように仏教についても深い理解をもっていた信玄は、おそらくは仏教の空や無常観をもとに、これまで勝ち続けて手に入れてきたあらゆる所有物が自らの手を離れる滅びの場面を想起している。そして、あらかじめその覚悟をしておくことで、油断を戒め、その滅びを先延ばしにしようという。このとき、信玄においては、あらゆる所有物がもはや何の役にも立たない自らの滅び・死が先取りされ、それら所有物への欲求が相対化されている。[12] そして、その滅びを覚悟し、日々油断なく生きることで、多少なりともその滅びを先延ばしにできるというのである。

他方、他の勢力と対峙し、一族郎党や領国の民百姓の生活をはじめ仏教の保護など多くの役割と責務を担う戦国大名であった信玄には、あらゆる所有物を放棄して純粋に仏道を求めることも許されなかった。同じ巻では、武田信玄が出家したのち、指導的な立場にあった僧侶に、参禅に入れ込み過ぎて隠遁することを戒められている。すなわち、巻十まである『碧巌録（へきがんろく）』の修行を巻七まで終えたところで、最後までやりたいと僧侶に申し出たところ、途中でやめるのがよいと諭されている（品第4）。あるいは、別の僧侶は、坐禅に入れ込んで覚りを開くよりも、大名として名利を求め続け、領土を拡げていくことが、結果として広く仏教を興すことになるといい、信玄もまた、その助言を受け入れている（同前）。

信玄のあくなき所有を追求する武士としての営みは、仏教によってそれ自体を目的とすることからは相対化されていた。しかし、だからといって単純に仏教の真理を実現するために出家者として生きることも、現実的には許されなかった。そこでむしろ仏教を熱心に求めつつも、それに入れ込み過ぎることなく、現世で名利を求め続けたのである。実際に信玄は、その後、戦国大名として、上杉謙信や北条氏康、徳川家康、織田信長といった名だたる大名と血みどろの戦闘を続け、死ぬまで勢力を拡大し続けた。しかし、他方信玄は、寺の建立や、仏教の諸宗派の保護、そして、それまで誰もなしたことがなかった僧千人による法会を実現し、完全に世俗を離れて仏道を求めるのとは別の仕方で、仏法興隆のための大きな業績を残している。

また、他の巻を見てみると、品第27では、大将の慈悲に基づく法度が人々の安堵を実現するといい、信玄が慈悲に基づく法令の制定に心がけていたことが記されている。あるいは、品第37では、自らが天下を取ろうとする目的は、仏教などを応用して正しい政治を実現するためであるという。現実に、戦国大名として日々戦闘に明け暮れ、名利を求めるまっただ中に生きなければならなかったとはいえ、ここで信玄の法による統治や勢力の拡大は、もはや単に名声を得ることや所有の拡大を目的とするものではない。戦国大名として敵対勢力と戦いながら名声を求め所有を追求する最中にあっても、その営みが、仏教の慈悲というより上位の価値によって相対化され、一面において慈悲といった超越的な価値の実現が目指されているのである。

以上、所有の追求と仏教によるその相対化という点に注目し、ごく簡単にではあるが、『甲陽軍鑑』の思想を跡づけてきた。これをもとに、与えられた問いへの回答を試みてみよう。

1. 自律機械の産物は誰のものか↓所有者のもの
2. 自律機械は誰の物か↓所有者のもの
3. 自律機械を所有することができるか↓できる

まず、武士がさしあたり所有に徹底してこだわったことからすると、所有権を単純に否定するとは考えられない。また、自律機械が、機械である以上交換可能であり、武士のように代替不可能な固有名詞をもつものではないとすると、所有権をもつ独立した存在とはみなされないだろう。これらのことから、『甲陽軍鑑』の武士道に基づく回答は、単純には上記のようになるだろう。すなわち、自律機械は人間が所有可能であり、自律機械とその産物も所有者のものとみなすのである。

ただし、既に見たように、信玄は一方で単純に所有への欲求を肯定するのではなく、主に仏教に基づき、所有への欲求を相対化する視点をもっていた。この点を考え合わせると、回答はさらに、以下のように書き換えられる。

1. 自律機械の産物は誰のものか→所有者のもの、かつ、誰のものでもない
2. 自律機械は誰の物か→所有者のもの、かつ、誰のものでもない
3. 自律機械を所有することができるか→できる、かつ、できない

『甲陽軍鑑』の武士道からみると、日常のレベルでは所有権を肯定して自分と一族郎党のために所有を求めつつ、超越的なものへの信のレベルでは所有権を否定し、世のため人のため、さらにはあらゆる生きとし生けるもののためという、二重のレベルで、所有について理解することになるだろう。さらに、自律機械の所有を考えるならば、自律機械とその産物を自らのものとして所有しつつ、自律機械とその産物を、本来誰の物でもないという視点を併せもち、世のため人のために使う、ということになるだろう。

このようにみると、所有を相対化しつつ所有にこだわって生きるというありようは、今日のわれわれが自律機械とその産物それぞれについての所有について考えるときにも、ある程度応用可能であろう。すなわち、単に所有を肯定する視点とは別に、所有を仏教によって相対化する視点を併せもち、所有したものを世のため人のために使うのである。

7. 『葉隠』の思想と所有

次に、『甲陽軍鑑』と並ぶ代表的な武士道書『葉隠』の所有観を確認し、われわれの問題への回答を試みることにしよう。『葉隠』（1716年頃成立）は、江戸時代中期に佐賀鍋島藩第2代藩主光茂に仕えた山本常朝（じょうちょう）が、光茂の死後すぐに出家して草庵に隠遁し、しばらくしてその草庵を訪れて弟子入りした田代陣基（つらもと）が口述筆記したものとされる。11の聞書、おおよそ1344項目の説話から成る。『甲陽軍鑑』と比べると、やや成立年代が降っており、概ね、もはや戦のなくなった泰平の世において、なお武士が武士らしくあるための生き方が説かれている。泰平の世になったためか、敵対勢力と常に対峙して実際に領地の所有を争っていた乱世の武士達が現実の要請から所有への欲求をさしあたり認めていたのに比べると、所有への欲求がさしあたり厳しく戒められているところに特徴がある。ただし、その上で武士の習いで死地に前進することが奉公の場面に応用され、「奉公名利」と呼ばれる、所有を単に否定するだけではなく、一度否定した上でより高いレベルから肯定するありようが理想とされている。

8. 「名利を思ふは奉公人にあらず」――単純な名利追求の否定

『葉隠』の思想は、所有に注目すると、むしろはじめから所有への欲求を厳しく戒めているところに特徴がある。『葉隠』の思想を一貫しているのは「無私」である。すなわち、原則として所有の前提となっている私利私欲すなわち私の利益や私の欲求を否定するのである。その思想は、端的には「名利を思ふは奉公人にあらず」（2―140）と言われる。もう少し詳しく説明すると、『葉隠』の根本思想は「四誓願」（序文）である。すなわち、佐賀鍋島藩の武士の奉公人は、あたかも僧が出家する際に四弘誓願とよばれる誓いを起こすように、以下の四つの誓いを起こすべきであるとされる。①武辺…武士道において遅れを取らないこと（序文）、すなわち、戦や喧嘩といった武に関する場面で、死地へ前進すること（1―2）、②奉公…主君を大切に思い（1―3）主君の御用に立つべきこと（序文）、③孝行…親に孝行すること（序文）、④慈悲…大慈悲を起こし人のためになること（序文）、の四つの誓願である。これらはすべて「無私」（1―4）すなわち私利私欲の否定で一貫しており、基本的に所有欲とは相容れない。

さらに詳しく見ておこう。まず、①の武辺についてであるが、聞書1―111には、端的に「勘定者はすくたるる（臆病になる）ものなり」という。すなわち、勘定は損得を考えることから生じるものであるので、常に損得の心が絶えない。そして、死ぬことは損、生きることは得であるので、死ぬことも好かないため、（いざ武に関する場面で死を覚悟して前に進むべきときに）臆病になる、という。ここでは、損得勘定すなわち、所有への欲求に基づく計算が、武事において勇気をもって前に進むことを妨げるものとして、厳に戒められている。

次に、②の奉公についてであるが、たとえば、聞書1―10では、亡き主君が生前大切に使っていた道具を仕廻物（払い下げ品）として使っている武士を、主君の魂が込められたものを自分のために使うなど、君臣の義理に反すると激しく罵っている。さらに、続く聞書1―11では、一生仕廻物を使わず、町人の家に行くことすら戒めていた山崎蔵人が褒め称えられている。ここでは、主君が使っていたような良い物を自分が所有したいという私的な所有欲が、主君を大切にするという心構えと対置され、強く戒められているのである。

あるいは、④の慈悲についても、奉公人の心構えについて記された聞書2―39では、「一生の仕事は人の為になるばかりと心得、雑務方（財務経理に関すること）は知らぬがよし」と、奉公人はただ人のためにとだけ心がければよいとする慈悲の規定と重なる内容に続けて、財務や経理に関することは知らない方がよいという。慈悲＝人のためと、経理に関すること＝私欲に通じる損得勘定とが対置され、後者が否定的に評価されている。

総じて言えば、武士は勝つことにはこだわるべきであるが、『葉隠』において、私欲に基づく損得は例外で、これについては、損さえすればよいという。聞書1―26で常朝は、屋敷に関する訴訟で同僚に言いがかりをつけて勝ち、そのことを自慢していた奉公人を、卑しいものと強く非難している。損得においては、負けるが勝ちとされ、所有への欲求に価値を置くことが厳しく戒められているのである。

9.　「名利を思はぬも奉公人にあらず」――単純な名利の否定の否定

他方、それでは『葉隠』が所有への欲求に代表されるような名利の追求を単純にすべて否定しているのかといえば、そうではない。先に触れた「名利を思ふは奉公人にあらず」という言葉には続きがあって、「名利を思はぬも奉公人にあらず」（2―140）という。もちろん『葉隠』にはいたるところに単純な名利追求を否定する言葉があって、それが厳しく戒められていたことはすでに見た通りである。しかし、では単純に名利追求を否定しているかといえば、そうではない。たとえば、1―154では、名聞利養に淡泊な侍は、かえってにせ者になって人を謗り、高慢になって役に立たず、名利への欲求が深いものに劣るという。ここでは、名聞利養を否定し、淡泊であろうとする武士が、かえって別の屈折した名誉欲と結びつき、俺ほど名利を離れているものはいないと人を見下すようになり、結局御家のための役に立たなくなることが戒められているのである。常朝自身も、幼い頃より主君のそば近くに取り立てられ、出世街道を邁進していたところ、ふとしたことから遠ざけられ、腐って出家しようかと悩んでいたことがあった。しかし、そこで「名利を思ふは奉公人にあらず、名利を思はぬも奉公人にあらず」という古老の言葉に触れ、得心し、その後は家老になって主君を諫言できる立場に立ち国家を治めようと思い定め、必死の奉公に励むようになったという（2―140）。家老は当時の奉公人が望み得る最高の地位であるので、それを求めるとは、ある意味で名誉や利益を求めることでもある。しかし、その位について諫言したい、というのは、単なる名利を求めることではあり得ない。というのも、諫言は極めて危険な仕事であり、多くの場合、主君に嫌われ、ときに命の危険にさらされるからである。実際に諫言して主君に嫌われて切腹を命じられる家老もおり、下手をすれば自分のみならず、一族郎党の生命や生活すら危うくするものであった。そこまで考えると、家老になって諫言することを目指すのは、単なる名利への欲求ではあり得ない。むしろ、もはや戦のなくなった泰平の世にあって、唯一私利私欲を度外視して、主君のために文字通り命がけで働けることである。このような奉公のために名利を求めることを「奉公名利」という。『葉隠』は、いったん素朴な名利への欲求を否定した上で、改めて、奉公名利というもう一段高い立場から、名利への欲求を肯定する。『葉隠』は、侍たるものは、名利の真ん中、地獄の真ん中に駆け入ってでも、主君の御用に立つべきである（2―139）という。戦時において私欲を滅して死地へ突入するという武事の習いが、平時へと応用され、私利私欲を離れて主君のために命をかける新たな奉公のかたちを作り出しているのである。

さて、ここまでで、所有に注目し、『葉隠』の思想を跡づけてきた。以上を踏まえ、与えられた問いへの回答を試みることにしよう。

1．自律機械の産物は誰のものか↓主君のためもの、さらには、所属する共同体のもの
2．自律機械は誰の物か↓主君のもの、さらには、所属する共同体のもの
3．自律機械を所有することができるか↓できない、主君と所属する共同体のもの

私利私欲を否定して、主君への奉公と、所属する共同体の構成員のために生きることを目的とする『葉隠』の奉公人の思想において、あらゆる所有物は基本的に主君と所属する共同体のために使われるべきものとなる。他方、それでは個人の所有権はまったく認められないのかといえば、そうではない。上述した

奉公名利の思想を踏まえるならば、主君や共同体のお役に立つために、個人の所有は一定程度必要であり、むしろ、それにこだわってお役にたてる高い地位とそれ相応の収入を得ることによって、より高いレベルで主君や共同体のお役に立てることになる。この点を踏まえると、問いへの回答はさらに下記のように書き加えられる。

1. 自律機械の産物は誰のものか→主君と所属する共同体のためもの、かつ、個人のもの
2. 自律機械は誰の物か→主君と所属する共同体のためもの、かつ、個人のもの
3. 自律機械を所有することができるか→個人のみで所有することはできない。主君と所属する共同体のためもの、かつ、個人のもの

献身的に仕えるべき主君の存在や、その主君を主と仰ぐ共同体を前提とする近世の武士の奉公人の生き方と、個人の平等を前提とし主君のような尽くすべき上位者がいないことを前提とする現代人の生き方には、かなりの落差がある。『葉隠』の武士道を現代人にそのまま応用することはかなり難しい。ましてそこに、自律機械という新たな項目を入れてみるとなおさらである。しかし、主君を大切な人に置き換えるならば、わずかに応用が可能かもしれない。すなわち、まず自律機械とその産物は単なる個人のものではなく大切な人や所属する共同体のためのものでもあるとするのである。今日のわれわれはここから、所有する物は単に個人のものではなく、大切な人や所属する共同体のものでもあるという理解を、所有を理解するにあたっての一つの可能性として学び得るかも知れない。そしてそれは、自律機械そのものやその産物についても

同様である。さらに、その上で、しかしながら、個人の所有権はまったく否定されるわけではない。むしろ、大切な人や所属する共同体のために何かをするには、現実的には、単に所有を否定するだけでは何もできないので、しっかりと所有を求め、その所有したものを、大切な人や所属する共同体のために使うべきであるということになる。こちらも、自律機械とその産物についても同様となる。

10. まとめ

以上、仏教、武士道の所有観を跡づけた上で、与えられた問いへの回答を試みた。まとめておこう。

まず、仏教によれば、空すなわちあらゆるものは固定的実体的なものではなく、縁起すなわち他のものとの関係においてあるので、そもそも誰かが何かを持つ所有は成り立たない。したがって、われわれ人間が自律機械とその産物を所有することはできず、自律機械がその産物を所有することもできない、ということになる。

次に、武士道の所有観をまとめておこう。

まず、『甲陽軍鑑』では、武士は戦闘において自らの生き残りと実力を証明するために、領土などあくなき所有を追求しながらも、仏教の所有を相対化する視点を併せもっていた。そこでは、人が所有を求めることを仏教によって相対化しつつも、現実には武士として所有を求め続けていた。その際、所有物は単に自らのために使うものではなく、一族郎党や領民のため、あるいは仏法興隆によって人々に幸いをもたらすために使うべきであるとされた。この考えを自律機械の所有に応用するならば、われわれは自律機械とその産物を所有することができるが、それを単に自分のために使うのではなく、世のため人のために使うべきであるということになる。

次に、『葉隠』の武士道では、名利・所有の追求は、私利私欲につながるものとして最初から否定的に捉えられていた。他方、所有する欲求に抗い、主君や共同体のために働くためには、むしろいったんその所有を徹底して追求して、それを主君や共同体のために活かすべきであるとされた。この考えを自律機械の所有の問題に応用すると、われわれは自律機械とその産物を単純に自分のために所有するべきではなく、大切な人や所属する共同体のものとすべきである。しかし、単に自分の所有を否定しても何もできないので、大切な人や所属する共同体のために、個人の所有を求め、それを大切な人や所属する共同体のために使うべきであるということになる。

11. 付記

最後に、以上で与えられた問いに対する考察を区切り、いくぶん感想めいたことを付記しておく。日本思想を専門とする筆者は、自律機械についてはまったくの門外漢であるため、正直なところ、与えられた問いとの関連づけはかなり難しかった。しかし、これらの検討を通して知られたことは、日本の思想には、今日、法律や経済、さらにいえば哲学の世界などで当たり前のように前提とされている西洋由来の常識的な所有の観念とは別に、多様で豊かな所有についての理解が存在するということである。そしてそれらは、今日のわれわれ日本人の所有についての理解に、いまだ多くの影響を与え続けているように思われる。われわれは、所有一つをとってみても、西洋由来の理解だけではなく、並行してさまざまな日本の伝統的な思想の影響下に、多様な理解を複層的に併せもって生きているのではないだろうか。自律機械の所有といった問題を考えるにあたり、ともすれば法律や経済の世界での必要や要望が先にたって、それらの世界で築かれた所有観のみで検討すると、これらの理解が見落とされてしまう。そうすると、多くの一般的な日本人が一面において前提としているさまざまな所有についての理解を見落としてしまい、いつまでたってもどこか日本の一般的なひとびとの感覚とずれたところで議論しているということになりかねないのではないだろうか。本章を通して、日本人が伝統的に培ってきた、所有についての豊かな考えを、読者が少しでも思い出し、それらを踏まえた上で、改めてさまざまな社会問題を考え直すきっかけにでもなれば幸いである。

▲註▼

(1) 所有については、法律や経済、そして西洋哲学の分野などで、かなり詳しい定義や議論がなされている。しかし、本章では、もう少し一般的なレベルで日本人の所有観を検討したいので、あえてごく単純に定義しておく。

(2) 本章の仏教における所有の説明は、一部、菅野覚明「仏教の所有と貧困」(関根清三編『宗教の倫理学』丸善株式会社、2003年、第9章)を参照した。

(3) 頼住光子『日本の仏教思想——原文で読む仏教入門』北樹出版、2010年、第4章参照。

(4) 近代的な所有の正当化論は、ロックの『統治二論』によって与えられたとされるが、そこでは身体が重要な意義を担っている。すなわち「すべての人間は自分自身の身体に対する固有=所有権をもっている」ところにあるという。さらに、各人に固有な身体の労働を自然に混合、付加することによって所有物への権利が発生するとされる。しかし、空・縁起という見方を採用すると、所有権の大前提とされる身体すら所有できない、ということになる。であれば、ロックのいうような所有権はなりたたないことになる。

(5) たとえば、日本で主に浄土系の宗派に大切にされてきた『無量寿経』下巻の「三毒段」と呼ばれる有名な一節においては「有るものも無きものも同然にして憂いの思いはまさに等し。(中略)田有れば田を憂い、宅有れば宅を憂う」といわれる。すなわち、田や家などの所有物は、有っても無くても等しく憂いの原因であるとされる。また、鴨長明は『方丈記』において、自らの家にこだわった半生を振り返っているが、つまるところ、家へのこだわりは無常であるがゆえに苦しみの原因であるとしている。

(6) 源為憲『三宝絵――平安時代仏教説話集(東洋文庫)』出雲路修校注、平凡社、1990年、仏法の十三。

(7) 菅野覚明『武士道の逆襲』講談社現代新書、2004年、第5章。

(8) 菅野覚明『よみがえる武士道』PHP研究所、2003年、第1章。

(9) 『甲陽軍鑑』は兵法書や軍学書として読まれるのが一般的である。しかし、佐藤正英は、『平家物語』などと同様の歴史物語として読むこともできると指摘している(佐藤正英校訂・訳「解説」『甲陽軍鑑』ちくま学芸文庫、2006年)。

(10) 菅野覚明『武士道の逆襲』講談社現代新書、2004年、第2章3。

(11) 相良亨は『甲陽軍鑑』における出家の理由について「信玄(『軍鑑』のなかの信玄)は、あくまでも「現在の名利」に生きた武将であって、剃髪も、その名利を維持し、より高からしむる為になされたものであった」(相良亨「甲陽軍鑑の世界」『相良亨著作集〈3〉』ぺりかん社、1993年、292頁)と指摘している。

(12) 信玄が名利への追求を相対化する視点をもっていたことについては、菅野覚明が『よみがえる武士道』第1章第6節において指摘している。相良の名利のためとする考察をさらに進めたものであるといえよう。本章における『甲陽軍鑑』の武士道における所有への欲求の相対化という理解は、この菅野の指摘を踏まえてのものである。ただし、本章では、その先に問題となる、では何によって相対化したのか、そして、相対化して何を目指すのか、という点に踏み込み、仏教の慈悲によって相対化し、その実現を目指したものと解釈する。ただし、このような解釈の方向は、つきつめると、道徳を重視するにいたった儒教的士道や明治武士道と同様に、武事を優先した本来の武士道を捉え損ねてしまいかねない危うさをもっている。武士道と仏教の緊張関係をもった並在をどう解釈するかについては、大きすぎる課題であるので、本章では簡単に触れるに留め、詳しくは将来の課題としたい。

謝辞
本稿は、RISTEX、JPMJRX17H3、JSPS課題設定による先導的人文学・社会科学研究推進事業JSPS00118070707、東洋大学重点研究推進プログラム「22世紀の世界哲学構築にむけて」の支援を受けたものです。

岡田大助　おかだ だいすけ
1973年、茨城県生まれ。東京大学文学部卒業、東京大学大学院人文社会系研究科修了。博士（文学）。東京大学大学院人文社会系研究科助教を経て、2017年より江戸川大学基礎・教養教育センター准教授。
専門は日本倫理思想史研究（なかでも、親鸞を中心とした日本仏教と、『葉隠』を中心とした武士道）。主要業績に訳書『定本　葉隠〔全訳注〕』（ちくま学芸文庫、聞書四注、聞書五、六訳注、中巻解説担当）がある。また、国立研究開発法人科学技術振興機構（JST）社会技術研究開発センター（RISTEX）「人と情報のエコシステム」（HITE）研究領域において、「高度情報社会における責任概念の策定」（企画調査・2016年度）、「自律機械と市民をつなぐ責任概念の策定」（研究開発プロジェクト・2017-2020年度予定）の研究分担者として、日本倫理思想史の知見を、社会に活かすための研究活動を行っている。

責任概念の変貌

第8章

自律機械の責任概念への経済分析を用いたアプローチ

荒井弘毅

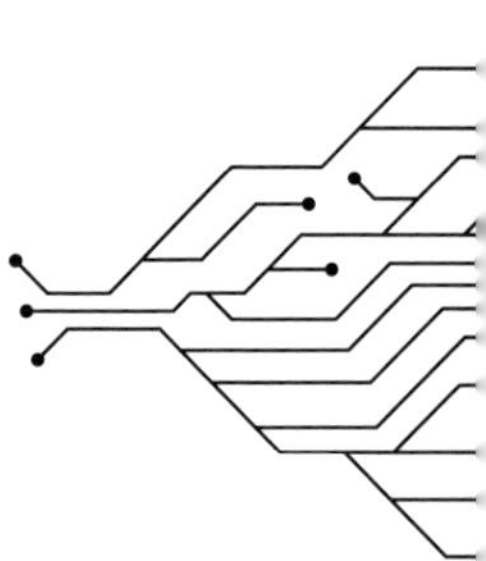

1. 責任概念の経済分析

責任概念について、経済学では、主として法と経済学の分野において考察の対象としてきた。中でも、事故法（accident law）の経済分析として、損害を被った者がその加害者を訴えたり、金銭の支払いを受けたりする権利を定める法制度を経済学を用いて検討してきた。特に、責任に関する法的ルールが、事故のリスクを減少させようとする当事者のインセンティブにどう影響するかを分析するものである。

責任に関する2大ルールとしては、過失責任ルールと厳格責任ルールがある。過失責任ルールの下では、加害者が被害者に対して責任を負うのは、加害者に過失がある場合だけになる。加害者の注意水準が、ルール・裁判所が設定する最低基準を下回るときにだけ、加害者は責任を負うことになる。これに対して、厳格責任ルールの下では、仮に、加害者に過失がなかったとしても、加害者は損害を発生させた責任を負うことになる。

この責任ルールに関連して、保険（被害者の加入する損害保険、加害者の加入する責任保険）があり、保険によって責任ルールの下でのリスク低減のインセンティブが変わる場合がある。また、責任制度自体の運営に掛かる費用、訴訟に掛かるコストも考えた上で、適切な法制度を考察することが経済分析からの責任概念への一つのアプローチである。

2. リスクと損害と社会的総費用

事故のリスクと損害に関して、表1の数値例を用いて説明する。

100の損害をもたらす事故が、この確率で発生するとする。注意を払うためにも費用が必要なとき、期待損害額と注意費用を加えた社会的総費用は、注意水準が「中」のとき最小になる。

ここで、①無責任ルール(事故を起こしても加害者は責任を負わない場合)では、加害者は全く注意を払わないであろう。②厳格責任ルール(加害者はすべての損害の責任を負う)では、事故による期待損害額を加害者がすべてを負うこととなるため、これを最小化する行動として、注意水準「高」を選択するであろう。③過失責任ルール(加害者に過失があるとき、加害者は責任を負う。相当の注意を払っていれば、それ以上の責任は負わない)では、注意水準「中」が選択され、この水準において社会的総費用が最小になる。すなわち、過失責任ルールにおいて社会にとって最適な状態が達成されるであろう。

しかしながら、過失責任ルールは社会的最適行動を導くかもしれないが、厳格責任ルールの場合には、裁判所は損害の大きさだけを判断すればよいが、過失責任ルールの場合には、それに加えて事故当時の注意水準認定の判断もしなければならなくなる(また費用と効果に基づく注意水準の設定も必要である)。

注意水準	注意の費用	事故の確率	事故による期待損害額	社会的総費用
なし	0	15%	15	15
中	3	10%	10	13
高	6	8%	8	14

表1：事故のリスクと損害に関する例(シャベル『法と経済学』205頁より)

さらに、加害者と被害者が双方とも注意を払うかどうかの選択肢がある場合と事故のリスクの関連について表2の数値例を挙げ、簡単に触れる。

前の例と同様に100の損害をもたらす事故における発生確率、社会的総費用が下記表2のとおりだとすると、最適な社会的総費用は加害者も被害者も注意を払うことであることが見て取れる。

すなわち、

①無責任ルールの場合、加害者は注意せず被害者は注意するであろう。(A)

②厳格責任ルールの場合、被害者は損害を完全に補償してもらえるため、注意を払わなくなる(加害者は注意を払う)。(B)

③過失責任ルールの場合、双方共に注意を払い損害・責任を回避しようとするため、双方とも注意が払われるであろう。(C)

寄与過失の抗弁を認める厳格責任ルールおよび過失相殺のある過失責任ルールの場合、被害者の軽率が行為の寄与過失が認められたり、双方の注意水準が相当の注意となっているかどうかが判断されるときには、加害者、被害者ともに注意することが均衡となる((C)の状況)。

この「相当の注意」については、リスクの大きさと、より注意深い行動を採るための費用との比較考量が必要になる。この相当の注意の導かれ方は経験的に訴訟の積み重ねの中から見いだされるものとされる。ただし、予防措置のための費用が、損害の大きさに発生確率を乗じた期待損失より多くないならば、そのときに過失が認定されることになる。

加害者の注意	被害者の注意	加害者の注意費用	被害者の注意費用	事故の確率	期待損害額	社会的総費用	
なし	なし	0	0	15%	15	15	
なし	あり	0	2	12%	12	14	⬅(A)
あり	なし	3	0	10%	10	13	⬅(B)
あり	あり	3	2	6%	6	11	⬅(C)

表2：加害者と被害者が注意を払うかどうかの選択肢のある場合の例（シャベル『法と経済学』207頁より）

3. 現在の日本のルール

現在の日本の不法行為に適用されるルール（民法７０９条）は、「故意又は過失によって他人の権利又は法律上保護される利益を侵害した者は、これによって生じた損害を賠償する責任を負う」とされており、原則として、過失責任ルールと考えられる。

ただし、いくつかの領域で厳格責任（無過失責任）が定められている（製造物責任法、原子力損害の賠償に関する法律、鉱業法、独占禁止法等）。この中から製造物責任法の関連部分を抜粋する。

下記下線①部のとおり、欠陥の存在によって製造業者の過失を推定する形になっている。

これは、通常、被害者が消費者である場合、ある製品を製造する企業ごとの製造物のリスクについては不完全にしか情報を有していないと想定される。このため、企業に責任が課されなければ、企業は注意を払おうとはしない。消費者は損害を被るか、あるいはそれを見越して製品を購入せず非効率な均衡が実現してしまう。ここで過失責任ルールが採用されたならば、相当の注意の水準を個々に認定していく必要が生じる。しかしながら、裁判所が相当の注意を認定することは情報の非対称性等から難しい。したがって、厳格責任

（製造物責任）
第三条　製造業者等は、その製造、加工、輸入又は前条第三項第二号若しくは第三号の氏名等の表示をした製造物であって、その引き渡したものの欠陥により他人の生命、身体又は財産を侵害したときは、これによって生じた損害を賠償する責めに任ずる。ただし、その損害が当該製造物についてのみ生じたときは、この限りでない。⬅①
（免責事由）
第四条　前条の場合において、製造業者等は、次の各号に掲げる事項を証明したときは、同条に規定する賠償の責めに任じない。
一　当該製造物をその製造業者等が引き渡した時における科学又は技術に関する知見によっては、当該製造物にその欠陥があることを認識することができなかったこと。⬅②
二　当該製造物が他の製造物の部品又は原材料として使用された場合において、その欠陥が専ら当該他の製造物の製造業者が行った設計に関する指示に従ったことにより生じ、かつ、その欠陥が生じたことにつき過失がないこと。

製造物責任法（平成6年7月1日法律第85号）

アプローチを採用し、注意を払う費用がより低いと考えられる企業側に責任を負わせる枠組みが構築されている。

このとき、②部分で引き渡し時点の科学技術の水準で発見することが不可能な危険（開発危険）での免責が規定されている。ただし、この免責規定も厳格責任アプローチを反映しており、（i）特定業界における最高水準の知見、（ii）世界最高水準の知見、（iii）入手可能な世界最高水準の知見とする説があり、（iii）説が立法担当者の見解とされている（経済企画庁国民生活局消費者行政第一課、1995）。

4. 自律機械の事故に対する責任の経済分析

こうした法と経済学の分析手法および日本の現在のルールを前提とした上で、高度情報社会での自律機械の事故として、たとえば、自動運転に対して厳格責任ルールと過失責任ルールのどちらが望ましいか、判断基準を考える。

自動運転の事故について、利用する個人は不完全な知識しかもっていないことが想定される（これに対して責任を課す必要はあるかもしれない）。自動運転の事故による被害が深刻な問題となるかもしれない（企業に責任を負わせて、多大な注意を払わせれば大きな被害は防げるかもしれない）。自動運転の仕様の欠陥を裁判所が確かめるのは難しい（欠陥の認識の証明責任は企業が負うべき）。そして、自動運転の事故を減らすために利用者ができることはあまりない（寄与過失は大きな争点とならない）。こうしたケースでは過失責任ルールよりも厳格責任ルールを採用する方が、自動運転の技術開発を進める段階で安全性を高めるインセンティブを生み出すことになる。従前の自動車の技術開発との違いとしては、利用する個人にとっての知識の取得がより難しくなる可能性、その仕様の欠陥の解析にコストが掛かることなどが想定でき、これまでのところ、レベル2、レベル3のそれぞれに応じて、誰に刑事責任が所在するか、予見可能性と結果回避可能性といった論点、故意または過失の有無、点検整備・救護報告義務等の議論がなされてきている。

ここで、たとえば、業務上行われる運転あるいは輸送業務実施に際し、事業者が自動運転の採用を考える場合には状況が異なるかもしれない。業務用での導入に際しては、採用する事業者はリスクを知り得る立場にあり、このリスクを減らすために積極的な行動ができることもある。このため、インセンティブの観点も踏まえた過失責任のルールも検討し、普及啓発を進める必要もある。

ただし、情報提供に当たっては留意すべき事項がある。企業が製造物に関し、積極的に情報を提供するないし品質保証が行われることがある。これによって、情報開示のインセンティブを高める手法も消費者への注意促進と同様に評価でき、企業の払うべき注意に掛かるコストからまかなわれるものであることに留意が必要である。また、情報提供の専門的活動(コンシューマーレポート等)が存在する余地はあるが、その存在はリスクに対する責任の分担の構造に直接の影響は及ぼさない。

5. 所有と応報性——公共財の視点

ここで自律機械の責任概念における「所有」と「応報性」の視点から更に検討を進めることとしたい。このためには、法と経済学の分析手法だけでなく、社会での責任概念を分析的に進める必要があり、そのために社会意識に対して経済学での公共財の視点から検討を進める。

責任概念の考察に際し、その定義から議論を始めることもある。他方、そうした議論の危険性は、責任そのものとして重要ではないものを含む責任の定義（責任が重要な事柄であると考える者にとって受け入れられないもの）に行き着くかもしれないし、中核的な部分と称する不十分なものとなるかもしれないし、あるいは、関係するものをすべて責任の名で呼ぶことによって責任の重要性を論証することになってしまうかもしれないことである。すなわち、定義付けを通して、言葉の用法を規定してしまうことによって、ある一つの道徳的ないし政治的見解を主張するといったことにならないよう留意が必要である。このため、責任概念の議論では、どういった責任が存在し、それがどういった理由で存在しているかといった点に関し、さまざまな理論に基づいて見解を提示しあうことが求められるとともに、責任概念の帰属の主体の条件やその関係についても分析的に検討することが必要である。こうした点も踏まえて、また、本書の課題でもある「所有」と「応報性」に関し、経済分析を活用して検討したい。

実際、モノのインターネット環境における新たなリスクや情報セキュリティとプライバシーに対する人間の心理学的・行動科学的な側面の検討に際しては、この所有と応報性についての考え方も含め安全な社会基盤の作り手に対するわれわれの意識を分析的に把握することが必要と考えられる。中でも、公共財の視点から、この「所有」と「応報性」について分析的に検討できる。経済学用語での公共財とは、いわゆる非排除性と非競合性をもつ財である。これらを公共的なサービスすべてのものとして一般化することはできないが、公共財の特性として、便益は認識しやすいが個別費用負担は考えにくいということは注目できる。

6. 検討の基とするデータ

今日、人工知能をはじめとする情報技術が進展し、社会に影響を及ぼしつつあるとする視点が幅広く共有されており、たとえば、２０１６年1月に閣議決定された日本の第5期科学技術基本計画においても「超スマート社会」実現のためのさまざまなステークホルダーによる対話・協働に触れている。こうした背景の下、多様なステークホルダーに人工知能と社会に関する意識調査を行うことで対話のベースラインとなる知見を提供することを目的として、国立研究開発法人科学技術振興機構（ＪＳＴ）、社会技術研究開発センター（ＲＩＳＴＥＸ）とAcceptable Intelligence with Responsibility（ＡＩＲ）の共同研究として、超スマート社会の社会受容性調査、一般モニタアンケート調査が２０１５年12月および２０１６年12月に行われている。そこでは、技術を社会と分離したものとするのではなく相互作用して社会規範も変化していくものとして、近未来における現在の延長上にある技術を調査対象とし、人の状態や希望を自動で察知・判断し、先回りして必要な情報などを提供するサービスを「知的な機械・システム」と定義し、これに対する人々の意識、研究開発の方向性や研究者への信頼、技術に対する認識を調べている［江間 16ａ］。

これらを踏まえて、高度情報社会における責任概念に関して、「知的な機械・システム」への態度と認識の実態を示すことで人工知能の倫理を考える。なお、ここでは、義務感や倫理的・法的責任、そして責任帰属意識を包括した意味で責任概念についての認識を検討対象とするものであり、いわゆる法的責任ではなく倫理的責任を取り上げるものである。

この節で基本データとして用いるアンケート調査の概要は［江間16ａ、Ｅｍａ 16ｂ］において説明されている。調査対象と期間は、２０１５年12月1日から7日および２０１６年12月3日から7日に、それぞれ、年齢を20代から60代をほぼ等分に、一般モニター男女２５０名ずつのＷｅｂアンケートの回答（回答者がＷｅｂサイトにアクセスして回答するＷｅｂアンケート）を集計したものである。回答率は7～30％程度である。ここでは、20代回答者の回答率が1桁台であること、代表性の問題等Ｗｅｂ調査の問題などについては、調査できなかった者の偏りが必ずしも排除できないとはいうものの、責任概念に関する特定の考え方をもっている集団だけを除いているとは考えられないことから、この点に留意しつつ、以下検討を進めることとする。

この調査で得られた結果としては、全体として運転・防災・軍事分野など「知的な機械・システム」の導入に社会的合意が必要とされる分野の機械化には積極的な意見が多かったが、一方で、ライフイベントにおける意思決定や健康管理など個人選択に委ねられる分野は「人間が主体で機械を活用する」傾向にあった。

この調査においては、先にも触れたが、意味が一意に定まらない人工知能という単語は用いず、人の状態や希望を自動で察知・判断し、先回りして必要な情報などを提供するサービスを「知的な機械・システム」と定義し、この「知的な機械・システム」に対し、運転や育児などの分野で人間がどの程度仕事を委任できるかを調べている。

また、２０１５年と２０１６年調査の比較を中心にした［科学技術振興機構 17］では、「知的な機械・システム」の理解は未だ十分に進んでいないこと、２０１５年と２０１６年で大きな変化はなかったこと、およびＡＩ開発原則の利用者側からの倫理面とアカウンタビリティ面についての理解の拡大が必要であることなどをまとめている。また、クロス集計においては、育児経験がある方が人間主体で行う意見、介護経験があるとAIを活用する意見、車必須の人は人間主体の意見、創作経験がないと人間主体の意見が多いとされている。

7. 分析モデル・結果

アンケートデータを活用した分析の中でも主観データで主観データを説明する分析は、客観的行動を説明するものとはなりにくい。これは、主観を決定する要因に他のさまざまな要因の影響を排除しにくく、また、決定プロセスも解明しにくいためでもある［富岡06］。ここでは客観データである性別、年齢、育児経験、介護経験、車の必須性、創作活動経験、最終学歴、所属組織形態、職位、所属学会を説明変数としている。被説明変数として、責任概念を構成する要素の中で関連するいくつかの主観的認識とどのように関わってくるかを見る。具体的には、表3左列「関係」の運転、育児、介護、ライフイベントにおける意思決定、健康管理、創作活動、防災活動および軍事活動に関して、機械に任せるべきではないとする選択理由を選んだ者について回帰している。

このアンケート調査においては、知的な機械・システムとの関

	関係	内容
1	運転	ハンドル操舵、速度制御、ナビゲーション、縦列駐車、衝突回避等
2	育児	遊び相手、寝かしつけ、見守り、食事、入浴、しつけ等
3	介護	排泄、入浴、食事、移乗、話し相手等
4	自己のライフイベントにおける意思決定や判断	進学、就職・転職、結婚・離婚、妊娠・出産、相続・終活
5	自分の健康管理・ヘルスケア	食事、運動、睡眠、喫煙、飲酒
6	創作活動	音楽、絵画、小説、ゲーム制作
7	防災活動	救護・救助、創作・探索、がれき処理、物流支援、被害予測等
8	軍事活動	偵察、警備（見張り）、戦闘行為、スパイ、防諜、救助、物流支援

選択肢
1. 人間だけで行う
2.人間が主体で、「知的な機械・システム」を活用する
3. 「知的な機械・システム」に任せるが、人間が機械を関し・管理する
4. ほとんど「知的な機械・システム」に任せる
5. わからない

理由
1. よりミスが少なくなるから
2. より現実的だから
3. より信頼できるから
4. より便利で楽そうだから
5. 人間が行うもので、機械に任せるべきものではないから
6. プライバシー情報の管理が心配だから
7. その他：具体的（事由記述）

表3：区分と選択肢

係を8つの側面に分けて、それぞれについて、そこへの人間の関わり方への認識を選択肢とその理由に基づいてデータ化している。その各区分と選択肢、そしてその理由は前頁の表3のとおりである。

選択肢は人間と知的な機械・システムの関与の仕方について濃淡が設けられている。そして、これを回答した上で、その理由として、よりミスが少なくなる等いくつかの理由が挙げられており複数回答可とされている。ここでは、そのうち特に「人間が行うもので、機械に任せるべきものではないから」とする理由がどれだけ選ばれているかを、知的な機械・システムは責任主体とすべきでないと認識していることの基準とみなす。すなわち、直接の費用・リスクまたは便益が責任の認識に反映していると考え、知的な機械・システムは責任主体とすべきとする意識は、防災や軍事では責任との関連が強くなく、育児や介護では強いのではないかとの仮説を設定するものである。

ここでの質問への回答は複数回答可で、順序が付いていないものである。このため、２０１５年・２０１６年調査についてこの理由の選択に関して、説明変数が、非説明変数をどれだけ説明しているか推計式を用いて解析を行った。ここで説明変数として用いているものは、育児経験の有無、介護経験の有無、生活に車が必須かどうか、健康管理に気を配っているか、音楽絵画小説等創作経験の有無、大卒かどうかである。被説明変数は、機械に任せるべきではないとする選択理由を選んだか選ばなかったかである。

健康		創作		防災		軍事	
0.144		0.239		0.180		0.341	
-0.200		-0.014		-0.031		0.095	
-0.108		0.043		0.184	*	-0.092	
-0.158		0.031		0.236		0.074	
0.550	*	-0.009		0.541		0.300	
0.106		0.305	**	0.082		0.176	
0.045		0.104	**	-0.062		-0.054	
0.062		0.220		-0.081		0.085	
-0.088		-0.231	*	-0.102		0.103	
-1.262	***	-1.167	***	-2.518	***	-2.429	***
1000		1000		1000		1000	
-629.83		-660.14		-350.45		-377.03	
0.008		0.012		0.012		0.009	
1.280		1.340		0.721		0.774	

この結果は下記の表4のとおりである。統計的に有意な関係を有していたものは、①介護経験を有する者で、男性で、２０１５年調査の方が、育児に関しては人間が行うもので機械に任せるべきものではないとする者の割合が少なかったこと、②創作経験がある者で、男性で、２０１５年調査の方が、ライフイベントに関しては人間が行うもので機械に任せるべきものではないとする者の割合が多かったこと、および、③大卒で、年齢が高い者の方が、創作活動に関しては人間が行うもので機械に任せるべきものではないとする者の割合が多かったこと、が挙げられる。

この結果について次の三つの含意が考えられる。第一に、区分の特徴として、防災・軍事はともに公共財としての性格を有する財であり、非排除性と非競合性をもつ財である。公共財の特性として、便益は認識しやすいが個別費用負担は考えにくい。このため、機械に任せたときに生じかねない費用、リスク、そして責任は考えにくいため、機械に任せるべきかどうかといった知的な機械・システムの責任について意識をもちにくいとも考えられる。ここに、「所有」の概念となじまないものに関して、われわれは責任について意識をもちにくいと考えることができる。

第二に、育児に関して女性が、または、創作に関して大卒で年齢が高い者の方が、機械に任せるべきでない（人間が行うもの）とする者の割合が多い。

	運転		育児		介護		ライフイベント	
育児経験有り	-0.148		-0.288		0.164		-0.195	
介護経験有り	0.115		-0.103	**	0.151		-0.020	
車必須	0.035		-0.134		-0.048		-0.111	
健康管理重視	-0.054		-0.235		-0.184		-0.253	*
創作経験有り	0.467		0.229		0.083		0.568	**
大卒	-0.135		0.027		-0.123		0.065	
年齢	0.024		-0.039		-0.003		0.063	
性別	-0.099		0.295	**	-0.181		0.469	***
2016 年調査	-0.076		-0.300	**	-0.221		-0.346	***
定数項	-2.112	***	0.203		-0.976	**	-0.671	*
Observations	1000		1000		1000		1000	
Log like lihood	-425.99		-679.53		-571.59		-672.04	
McFadden R-squared	0.004		0.018		0.006		0.030	
Akaike info criterion	0.872		1.379		1.163		1.364	

表４：機械に任せるべきでない区分への属性別影響度（表中の記号は次のp値の値を示すものである。
***:p<0.01、**:p<0.05、*:<0.1。　以下の表で同じである）

このことは、一般的に、育児を担うことが多い女性（「少子化対策白書17」女性の育児時間が長いことが挙げられている）、創作に関する自由度がより高くなるとされる大卒・年齢が高い者（「国民生活に関する世論調査17」年齢が高い者の余暇時間が多いことが挙げられている）にとって、責任を人間が負うことになるリスク・費用よりも、そこに携わる便益がより大きくなるためとも考えられる。これらの面で、当初の仮説は成り立っていると考えられる。

第三に、経験財としての性格を有する育児・介護・健康管理・創作は、それぞれ従事しないと意見をもちにくい部分もあるかもしれないとも考えられる。しかしながら、それらの経験が直接関連する区分についての機械への意識について特定の方向（経験ある者は機械に任せるべきと考えるか、あるいはその逆の意識をもつか等）を示すものではない。

この第二と第三の結果に関するインプリケーションとして、応報性を必要とする状況、行為において、直接の費用・リスクまたは便益が責任の認識に反映していると考え、知的な機械・システムは責任主体とすべきとする意識は、応報性が存在している育児や介護では強いのではないかとする仮説が支持されたと考えられる。

8. 推計の検証

（1）検証1：公共財への知的な機械・システムの関与

公共財とは、非排除性と非競合性という特徴を有するものである。非排除性とは、その財・サービスの利用に対価を支払わない人を排除できないことである。非競合性とは、対価を支払って購入しても独り占めできないことである。例外はあるものの、防災や軍事はその典型例として挙げられることが多い。公共財はこの二つの性質から供給に当たっての費用負担の算定が容易でない。知的な機械・システムの利用に際しての責任の議論は費用（リスクも含む）負担とも関連する。このため、直接費用負担を感じにくい公共財に対しては、属性別の責任の意識は強くない。したがって、属性別で見たときの有意となるものが生じなかったと考えられる。

これを検証するために、防災と軍事の区分の特徴を検証した。その結果によると、防災と軍事についての利用、ここでいういわゆる公共財の区分だけが、他の区分（育児・介護・ライフイベント・健康管理・創作）での機械に任せるべきかどうかについての認識とは逆の関係となっている。すなわち、これらの区分は人間が行うべきで機械に任せるべきではないとする認識は強くない（仮説を裏付ける結果が出た）と考えられる。

（2）検証2：責任帰属既存研究との異同

育児に関して女性が、または、創作に関して大卒で年齢が高い者の方が、機械に任せるべきでない（人間が行うもの）とする者の割合が多かった。このことは、一般的には、育児時間が長く、また、男性より平均的に賃金が低く育児での機会費用の損失が小さい状況にある女性は、男性に比べ、人間が責任を担い得ると感じられたためと考えられる。同様に、創作に関する自由度がより高くなる大卒や年齢が高い者にとって、創作に携わる便益が大きいためと考えられる。

これまでの責任帰属研究で、主として、自己の心理学的な安寧を維持しようとする自己防衛的動機付け（防衛的帰属理論)、当事者と判断者との環境条件間の類似性を意味する状況的関連性と、何らかの個人的特徴での類似性を意味する個人的関連性とを区別する関連性理論など、多様な検討が行われてきているが、共通する考え方として、費用とリスクが大きくなるときには責任を取りたくないとする(ポジティブの場合は逆となる)枠組みが用いられている。これをこのデータに当てはめて検証する。このために、理由の選択肢における、「より便利で楽そうだから」とする者が「人間が行うべきもので、機械に任せるべきものではないから」とする者と逆の傾向を示しているかどうかを検証する。すなわち、より便益を受けそうな者は人間が行うべきと考えており、それは便利で楽そうになると強められるかを検証するものである。このために、被説明変数を「より便利で楽そうだから」を選んだかとして推計を行った。

その結果によると、育児に関しては女性である方が、知的な機械・システムは便利で楽そうだとする認識を有する傾向がみられた。また、創作に関しては大卒である方が便利になるものではないという認識を有するものであったとみることができる。したがって、育児に関し女性は人間が行うべきで機械に任せるべきではないことを補完する意味で、便利で楽そうなものを歓迎する傾向があり、創作に関し、自由度の高いと思われる大卒は人間が責任を担うべきで、費用は掛かり得る(楽そうだから機械に任せるのでない)が、人間が行うことそのこと自体に便益が生じているとの認識が示されているとも考えられる。したがって、直接の費用・リスクまたは便益が認識に反映していることになり、この面でも、当初の仮説を裏付ける結果が出たと考えられる。

9. 小括

本章では、責任に関する経済分析のアプローチに触れた後、人工知能を含む知的な機械・システムに対する将来の責任帰属性に関する現時点での認識を「所有」と「応報性」の概念を用いて明らかにしようとした。この際、人の状態や希望を自動で察知・判断し、先回りして必要な情報などを提供するサービスを「知的な機械・システム」と定義し、それに対して人間がどの程度仕事を委任できるかを調べたものであった。推計して、検証できた結論としては、①防災・軍事といった、いわゆる公共財に対しては人間が行うべきで機械に任せるべきではないとする認識は強くない、②既存研究を裏付けるとおり、育児に関し、育児での機会費用の損失が小さい状況にある女性は、男性に比べ、人間が責任を担い得るという認識が多く示された。他方、創作に関し、自由度の高いと思われる大卒は、人間が責任を担うべきで、費用は掛かり得る（＝楽そうだから機械に任せるのでない）が、人間が行うこと自体で便益が得られるとの認識が示された。③内生性を考慮した後の育児経験と介護経験に関しては、育児経験のある者は育児について機械に任せるべきでないと、介護経験のある者は介護について機械に任せるべきとする認識を強めた結果が示された。

この結果のインプリケーションとしては、第一に、知的な機械・システムに対する人々の捉え方、責任帰属は、それを用いる際の財・サービスの区分によって異なって認識されている。公共財に対しては、特段の選好を有しておらず、育児は人間が行うべき、介護は利用すべきといった違いが存在している。ただし、公共財（いわゆる公共財は、公共サービス全般とは別の概念であり、非排除性と非競合性を有する財である）としての特徴を有する財・サービスについての意識の一般化については更なる分析が必要であることには留意すべきである。この面で、「所有」に関する議論において、公共財はどう考えるかについての視点をもつ必要があることが挙げられる。

第二に、知的な機械・システムの責任を考える際に、それらの財・サービスに掛かる費用とそのリスクがその責任帰属判断における一定の要素となっている可能性が示唆された。第三に、高度情報社会における責任概念はさまざまな要素で構築されており、科学技術の応用の局面とそこでの費用・リスクといった状況を踏まえた上で、人々の認識を丁寧に検討していくことが必要であることが明らかにされたことだと考えられる。これらの点は特に「応報性」の必要なものが責任意識にとって重要であることを再認識させるものであると考えられる。

こうした点で、社会の実態調査は、意識調査だけでなく科学技術の応用場面の経済的状況の把握も併せて行って評価していくことが必須と考えられよう。なお、ここで、このアンケート調査を用いて結果をまとめるに際して、このアンケート調査は責任概念そのものを直接問うた質問となっていないことから、この結果の解釈において一定の留保が必要である。加えて、倫理的な側面と表裏一体の関係にある法的な責任についても今後検討を進めることが課題である。

この責任概念の分析からの人工知能研究の倫理面の検討への貢献は、次の点が挙げられる。いわゆる公共財においては、責任帰属に関する認識が強くない状況で人工知能等の利用が進むと考えられるため、倫理指針の丁寧な適用が必要である。他方、費用対効果のイメージしやすい財・サービスでの人工知能の利用は、情報開示の下、選択肢の提示に基づく利用者責任での展開が期待される。今後の人工知能の免許・保険等の議論に向けて、現時点において各般の考慮要素を示した倫理指針の策定・公表は時宜にかなった取り組みとも考えられる。

高度情報社会における社会規範を議論する際の一つの鍵として責任概念が挙げられる。責任概念を議論する際には、複雑化し多様化する責任主体を法、思想等さまざまな観点から整理することが必要である。これとともに、今日まで提起されてきた責任概念を参照軸として用いることで、今後の責任概念の変貌を予測することができる。こうした努力を継続して続けることによって、情報技術の専門家の研究活動と将来的な技術進展の円滑な展開を支える文化的で社会的な責任概念基盤を提言することが可能になると考えられる。人工知能学会倫理指針［人工知能学会倫理委員会 17］においても、序文において「人工知能研究者は、社会の様々な声に耳を傾け、社会から謙虚に学ばなければならない。人工知能研究者は技術の進化及び社会の変化に伴い、人工知能研究者自身の倫理観を発展させ深めることについて不断の努力を行う」ことが明記されている。この不断の努力を続けていくためには、人文学的アプローチによる過去の責任概念の整理や現段階で認識されている人工知能を含む知的な機械・システムに対する責任概念を検討していくことで責任概念自体がもつ多様性と歴史性を把握することが重要だと考えられる。そして、それに基づき、また倫理指針を踏まえた上で、高度情報社会における責任概念の今日的な意味を模索することが必要とされている。

▲参考文献▼

- Walster, E., Assignment of responsibility for an accident, Journal of Personality and Social Psychology, Vol.3, 1966, pp. 73－79.

■江間有砂、秋谷直矩、大澤博隆、服部宏充、大家慎也、市瀬龍太郎、神崎宣次、久木田水生、西條玲奈、大谷卓史、宮野公樹、八代嘉美「運転・育児・防災活動、どこまで機械に任せるか」『情報管理』Vol.59、No.5、２０１６年、３２２−３３０頁

■Arisa Ema, Naonori Akiya, Hirotaka Osawa, Hiromitsu Hattori, Shinya Oie, Ryutaro Ichise, Nobutsugu Kanzaki, Minao Kukita, Reina Saijo, Takushi Otani, Naoki Miyano and Yoshimi Yashiro, Future Relations between Humans and Artificial Intelligence - A Stakeholder Opinion Survey in Japan, *IEEE Technology and Society Magazine*, Vol. 35, No. 4, 2016, pp. 68 - 75.

■科学技術振興機構（ＪＳＴ）「『超スマート社会の社会受容性調査』の一般モニタアンケート調査結果――人と情報のエコシステム（ＨＩＴＥ）領域合宿資料」

■経済企画庁国民生活局消費者行政第一課『逐条解説製造物責任法』商事法務研究会、１９９５年

■Shaver, K. G., Defensive attribution: Effects of severity and relevance on the responsibility assigned for an accident, Journal of Personality and Social Psychology, Vol.14, 1970, pp. 101 - 113.

■白岩祐子、宮本聡介、唐沢かおり「犯罪被害者に対するネガティブな帰属ラベルの検討――被害者は「責任」を付与されるのか」『社会心理学研究』第27巻第2号、２０１２年、１０９−１１７頁

■人工知能学会倫理委員会「人工知能学会倫理指針」http://ai-elsi.org/wp-content/uploads/2017/02/人工知能学会倫理指針pdf

■スティーブン・シャベル『法と経済学』田中亘、飯田高訳、日本経済新聞出版社、２０１０年

■竹内穂乃佳、釘原直樹「災害 被害者の責任帰属について検証 被害者の責任帰属について検証――テロは殺人と違うのか」対人社会心理学研究、２０１６年、27−32頁

■富岡淳「労働経済学における主観的データの活用」『日本労働研究雑誌』Vol.551、No.6、２００６年、17−31頁

■橋本剛明、白岩祐子、唐沢かおり「経済格差の是正政策に対する人々の賛意：機会の平等性と社会階層の認知が責任帰属に与える影響の検討」『社会心理学研究』第28巻第1号、２０１２年、13−23頁

■松島みどり、立福家徳、伊角彩、山内直人「現在の幸福度と将来への希望――幸福度指標の政策的活用」『日本経済研究』、Vol.73、２０１６年、31−56頁

▪諸井克英「防衛的帰属理論に関する実験的研究——交通事故の当事者に関する責任判断を中心として（人文論集38巻、1988年、A33–A74頁）」http://doi.org/10.14945/00003887

謝辞

本研究は、「人と情報のエコシステム」プロジェクト企画調査「高度情報社会における責任概念の策定」およびプロジェクト「自律機械と市民をつなぐ責任概念の策定」における議論に基づいている。研究会の参加者に謝意を表したい。また、データの利用に関しては、JST-RISTEXの茅明子さんの御協力に感謝したい。

荒井弘毅 あらい こうき

1966年、埼玉県生まれ。早稲田大学政治経済学部卒業。博士（経済学）（大阪大学）。公正取引委員会事務総局官房企画官、上席企業結合調査官、経済調査室長、訟務研究官、経済研究官、競争政策研究センター次長、秀明大学総合経営学部教授を経て、2020年より共立女子大学ビジネス学部教授。専門は競争政策を中心とした実証産業組織論、法と経済学。主要業績に、"Law and Economics in Japanese Competition Policy" Springer Nature (2019)、『独占禁止法と経済学』（大阪大学出版会・2006年）がある。競争政策、法と経済学の観点から、科学技術と社会経済の発展に資する研究開発活動を行っている。

自然言語処理を組み込んだ自律機械に関する所有と応報性

松吉 俊

法体制への問い

第9章

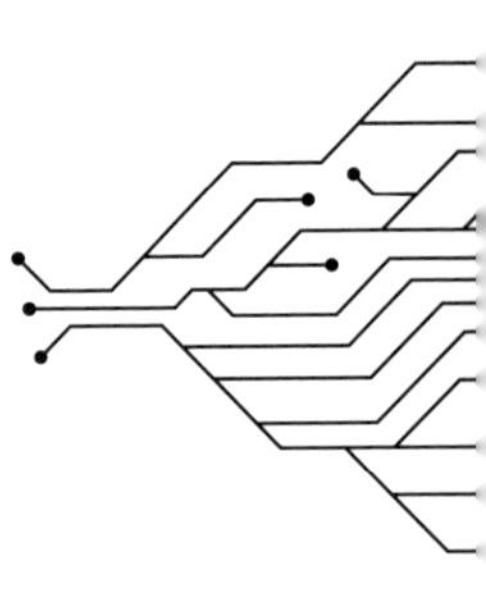

1. 現在の自然言語処理の技術

人工知能の下位分野の一つに自然言語処理という分野がある。この分野では、人間が話したり書いたりする言語（日本語や英語など）をコンピュータの上で処理する方法を研究している。この分野の究極的な目標は、人間と同じように文章を理解したり生成したりできるような人工知能を作り上げることである。

ほとんどすべての人間がインターネットを駆使して電子的文章をやりとりする現在、自然言語処理の技術は多くの所で実用化され利用されている。たとえば、入力されたひらがな列を適宜漢字に自動変換する機能は、かな漢字変換という技術である。ビッグデータが利用になったことで、先頭部分を入力するだけでそれに続く文字列を予測して提示することも可能になった。別の例は、インターネット検索である。GoogleやBingなどの検索サイトにおいてキーワードを入力すると、そのキーワードに関連するウェブページを優先順位付きで提示してくれるシステムである。アップルのSiriやマイクロソフトのCortanaなどは、自然言語処理分野の質問応答技術を実応用したものである。先ほどの情報検索システムはウェブページ群を提示するのみであり、本当に必要な情報はユーザーが自ら各ウェブページを読んで探し出す必要がある一方で、質問応答システムは、ユーザーの質問に対してズバリその解答を提示する。運用開始当初は解答精度が低いものであったが、ウィキペディアなど多くの優良サイトが提供する大量のテキストデータが利用可能になり、質問と応答の履歴データが大量に溜まりそこからどのような答え方がより良いかをシステムが学習できるようになったことから、近年、精度を上げてきている。長い文章を簡潔な短い文章にまとめ直す自動要約システムも自然言語処理技術の応用の一つである。

近年、深層学習の導入により、これまで実現が難しいと思われていたことが、高い精度で実現できるようになってきた。その主なものは、自動翻訳や雑談対話や文章自動生成である。大量の対訳データが利用可能である言語対においては、人間の翻訳家と変わらないレベルの翻訳精度を達成できるようになった。また、Twitter やウェブ掲示板などから、人間同士が行った会話の履歴が大量に入手できるようになったことから、それを真似る学習をすることで、より自然な雑談対話を実現できるようになりつつある。ニュースや天気予報など、ある程度型が決まった文章に関しては、キーワード群や数値データのみを入力として、自然な文章を自動生成できるようになった。数文程度を入力し、それに続く自然な文章を書かせることもできるようになりつつある。(1)

人工知能の他の下位分野である画像認識や自動運転などと同様に、自然言語処理もまた目覚ましい進歩を遂げており、その発展は続いている。

2. 自然言語処理の技術が組み込まれた自律機械の特性

これまで自然言語処理の技術は、単なるコンピュータプログラムとして利用されてきた。すなわち、そのプログラムを保有するユーザーがユーザーの意思でプログラムの実行ボタンを押すことにより、何らかの結果を得ていた。しかしながら、自律機械、すなわち自動で動き続ける機械やロボット、の中に、言語部門として前章で述べた種々の技術を組み込むことは十分可能である。

自然言語処理の技術が組み込まれた自律機械は、自動的にテキストの入出力を行う。自動運転や画像認識のオートフォーカスなどと同様に、周りのユーザーの利便のために、自律的に、そのユーザーが望むような情報を検索して集めてきたり自動翻訳を行ったりしてくれることが期待される。また、ニュースや天気予報などに限らず文章自動生成技術が発展すれば、ユーザーのためのオリジナルの物語文章を自動的に生成してくれることも期待できる。その一方で、ありもしないニュースを自動執筆しそれをSNS上で発信したり、他者が書いた文章を無断で盗用しつつ少しアレンジし、オリジナル作品であると偽って発表したりする恐れもある。

自然言語処理分野の究極的な目標は、コンピュータに言葉の「意味」を理解させることである。しかしながら、現時点ではこれは全く達成されていないと言ってよい。深層学習の導入により、確かに自然言語処理の技術は大きな進歩を遂げたが、この内部は、数十から数百万、時に数億の数値パラメーターの集合からなる。これらの数値パラメーターはいくつかの行列を形成し、これらの行列たちは提案手法ごとに特別な配置を取る。適切な入出力が得られていることから、深層学習を利用したシステムの開発者たちは、この中（数百万の数値の中）に「意味」が内包されていると言う。しかしながら、数百万もの数値データを眺めてそこから「意味」を読み取ることは人間にはとても不可能である。この「意味」を人間が理解できる形式に可視化する研究も進められているが、現時点ではうまくいっていない。

コンピュータが学習するための正解データを大量に用意することにより、自然言語処理では、文章に含まれる書き手の感情や好感度などを高い精度で自動推定できるようになった。しかしながら、自然言語処理の応用システムに善悪の判断ができるようになったわけではない。一見、感情も善悪も同じようなものであり、善悪に関する正解データを大量に用意すれば、うまくいきそうに思える。現在の自然言語処理が行っているのは、テキストとして明示されていない文脈や状況はすべて無視した感情推定である。それゆえ、誰がどのような状況で発言したか／書いたかといった文脈や状況はシステムに入力されない。感情推定において文脈や状況を考慮すべき典型的な事例は皮肉が使用されている場面であるが、一般にこのような正解データ内に皮肉の事例はとても少なく、また文脈情報も入力されないため、システムが皮肉を考慮して感情推定することはほとんどない。善悪の判断は大いに文脈や状況の情報を必要とする。さらに、感情推定の場合と異なり、善悪の判断には視点を考慮する必要がある。関係する人間ごとに善悪の判断があり、それらとは別に倫理的な視点からも善悪の判断をすることが求められる。現在のところ、物事の善悪の自動判断に関して、文脈や視点の情報を考慮した大量の正解データは私の知る限り存在しない。それゆえに、現在の自然言語処理の最先端の技術を応用したシステムにおいても安定した善悪の判断ができない状況である。

自然言語処理を含む現在の人工知能技術の限界は、フレーム問題を解けないところにあると思われる。現在の自律機械はあらかじめ実行できるタスクを人間から陽に与えられており、自動実行を繰り返してもその枠組みを大きく逸脱することはない。周りに存在する興味深いタスクや危険なタスクに目を向けることはない。一方、複雑な現実世界に生きる人間は、陽に与えられたタスクに取り組むとき、そのタスクと全く関係がなくても近くに異変があることに気付いたならば、そちらに目を向け、柔軟に元のタスクを中止することができる。

現在のコンピュータアキテクチャーとアルゴリズム群では原理的に達成できないのかどうか私には判断できないが、自然言語処理の最新技術が組み込まれた自律機械には限界があり、それは、人間が理解可能な「意味」をもたないこと、善悪を判断できないこと、タスクの切り替えを柔軟にできないことにあると思われる。それゆえに、そのような限界から、人間が意味を理解できないこと、人間が倫理的に悪いと感じること、人間ならばすぐに中止するようなことを実行し続ける恐れがある。もちろん、常にその行動を監視し、誤った行動を起こさないように誘導することも可能であると思われる。

3. 文章自動生成に関する所有と応報性

この節では、文章を自動生成することができる自律機械を対象として、その所有と応報性について議論したい。

人間が文章を執筆した場合、その文章は著作権法により著作物として保護される。法律上の権利という観点からも、その人間はその著作物を所有しているといえる。一方、現在の日本の法制度では、コンピュータが自律的に生成した文章に対してそのコンピュータが著作権をもつことを認めていない。[2] ある人間が自律機械に文章を自動生成するように命令を送った場合には、命令を送った人間に著作権が帰属することとなる。これは、自律機械を道具として使用したとみなされるためである。

生身の人間以外が著作権をもつことが全く認められていないわけではない。著作権法では、要件を満たせば、法人も著作者となることが認められている。それゆえに、将来、自然言語処理の技術が組み込まれた自律機械が、オリジナルの素晴らしい物語文章を次々と自動生成することができる未来が来た場合、自律機械にも著作権を認め、自律機械に著作物を所有させることが認められてもよいかもしれない。前章で述べたような限界があるため、自律機械が所有という概念を人間と同じように「理解」することができるかどうかは分からないが。

人間が執筆した文章が経済的価値をもつ場合、それに対する金銭や名声をその人間は得ることができる。また、人間が執筆した文章が名誉毀損や著作権侵害など他人から訴えられるものであった場合、その文章の執筆者である人間が相応の処罰を受け、多くの場合、損害賠償を支払うこととなる。現在、完全に自律的に文章を自動生成する自律機械は存在しないため、そのような自律機械が自動生成した文章が人間を傷つける内容であった場合、現在の法制度でどのように裁かれるかは明らかではない。上記の「著作権が認められない事実」から考察すると、おそらく、その自律機械は無罪であると思われる。もちろん、無罪だからと言って無事で済むわけではなく、そのような自律機械は機能を停止されるか、廃棄されてしまうことになると思われるが。

この応報性に関して、自律機械を法人と同様に扱うことも可能であると思われる。自律機械に所有が認められ、その著作物を利用して経済活動を行うことが認められるようになれば、自律機械も金銭を所有することが可能になる。自律機械が名誉毀損や著作権侵害を起こした場合、稼いだ金銭から損害賠償を支払うことも可能であるように思われる。もちろん、前章で述べたように、文章自動生成タスクに特化した自律機械は、金銭授受タスクに疎いため、人間かその他の適当な機械がその手助けをする必要があるが。自律機械に善悪の判断は難しいため、倫理的観点から再犯を抑制することは見込めない。

私は法律の専門家ではないため、これ以上踏み込んだ議論をすることはできないが、自然言語処理の技術の高度化に伴う「自律的」な名誉毀損や著作権侵害問題に早期に法的対策が検討されることを切に願う。

4. 自律機械の所有と応報性に関する情報系学生の認識

文章を自動生成することができる自律機械の所有と応報性に関して、情報系の大学生に思考実験を通じて考えてもらい、各自の意見を出してもらった。この節では、このアンケート結果について報告する。

前節で述べたように、現在の日本の法制度では、自律機械に著作権はなく、生成した文章が引き起こす問題に関して処罰の対象にもならない。そこで、自律機械に文章データを提供する「あなた」と、自律機械に動作命令を与える「指示者」も関わらせるという工夫を加えつつ出題を行い、所有と応報性について大学生たちに考察してもらった。アンケート調査は２０１７年と２０１８年の計2回実施した。

まずは、前提状況について説明する。関係者・関係物リストは次の通りである。

●自律機械：文章を自動的に生成することができる電子的なプログラム。これをなすために、事前に大量の文章データを読み込んで学習する。内部で（擬似）乱数を利用するので、実行のたびに異なる文章が生成されるようになっている。

●あなた：思考実験に参加した大学生自身。自分が書いた大量の文章データを自律機械に提供する人物。

●開発者：自律機械を開発した人間。

●指示者：自律機械に対して文章を生成するよう指示を送った人間。具体的に行った行動は、マウスで1回クリックしたのみである。

●出版社：自律機械が自動生成した文章の価値を認め、実際に出版を行った会社。本来ならば関係する法的手続きなどを詳細に大学生に伝えるべきであるが、思考実験を複雑にしないようにするため、その辺りは適宜よろしく解釈してもらうこととした。

以下、時系列に沿って状況を説明する。「あなた」はこれまでに大量の文章データを書き貯めていた。開発者が「あなた」の文章データを利用して文章を自動生成する自律機械を開発した。この自律機械は自由に利用できる。通りすがりの指示者がこの自律機械に試しに文章を自動生成するよう命令した。自律機械が文章を自動生成した。以下、この文章を文章Aと呼ぶことにする。

大学生に考察してもらったテーマは次の二つである。

i．文章Aがある出版社の目に留まり、本として出版されることになりました。この文章Aの著作権及び経済的利益は誰に(何に)帰属すると考えられるか、あなたの意見を述べなさい。

ii．出版された文章Aが第三者の目に留まり(たとえば、名誉毀損や著作権侵害などで)、その第三者から訴えられてしまいました。この物語に関する損害賠償は誰が(何が)するべきであると考えられるか、あなたの意見を述べなさい。
テーマの考察にあたり、大学生はインターネットのページや文献などを自由に調べてよいこととした。

上では「思考実験」と述べたが、実際には、大学生たちには簡易的な自律機械を与え、それに文章を読み込ませることで短い物語文章が自動生成される演習実験を経験させている。この演習実験を経験してから、上記テーマに関する考察をお願いしている。小規模な模擬実験ではあるが、実際に状況を経験してもらうことにより、これらのテーマを身近なものとして感じつつ考察してほしいという狙いがある。この演習実験の詳細については、[matuyosi2018](3) と [matuyosi2019](4) を参照してほしい。

２０１７年は電気通信大学総合情報学科 経営情報学コースの３年生45名を対象に、２０１８年は同大学情報理工学域情報系 経営・社会情報学プログラムの３年生49名を対象にアンケート調査を実施した。

２０１７年におけるテーマｉに関する意見を表１にまとめた。「(判断保留)」とは、今回のテーマ設定では考察するための条件が不足しているため、答えられないというものである。関係者・関係物ごとにまとめ直したものが表２である。まずは、表２から検討する。この表を見ると、およそ９割の大学生が、「あなた」にも著作権を認めるべきであると主張している。開発者に対してはおよそ２割、指示者に対しては１割強の大学生が著作権を認めてもよいと考えているようである。自律機械に著作権を認めてもよいという意見も少数あった。

次に表１の結果を検討する。この表から過半数の大学生は、「あなた」だけにのみ著作権を認めるべきであると主張していることが分かる。開発者にも著作権を認めるべきであるという意見はあるが、開発者のみに著作権を認めるべきであるという大学生はいなかった。1割弱の大学生が、指示者にのみ著作権を認めるべきであると主張している。彼らのレポートを確認すると、「クリックしただけではあるが、ランダムに生成される文章の中から良いものを引き当てたことが評価されるべきである」という意見をもっていることが分かった。

経済的利益に関しては、表1の各成分に出版社が混じるものであった。書籍の出版に当たり当然出版社も利益を享受すべきであると考えられるので、妥当な結果である。

２０１７年におけるテーマⅱに関する意見を表3にまとめた。関係者・関係物ごとにまとめ直したものが表4である。まずは、表4から検討する。この表を見ると、およそ8割の大学生が「あなた」も損害賠償をするべきであると主張している。彼らのレポートを確認すると、「著作権があり、経済的利益を享受している」ことがその理由である。出版社には出版物に対して責任をもつべきであるから、およそ3割の大学生が出版社も損害賠償すべきであると考えている。自律機械の名前を挙げたのは、表2において自律機械を挙げた2名である。彼らは自律機械の名を挙げつつも、「肉体も金銭も持たないため、損害賠償すべきであるが、実際には損害賠償できない」と考察している。表2と表4を比較すると、指示者を挙げる割合はほぼ変わらないが、

誰に帰属するか	人数	割合
あなた	29	65%
あなた、開発者	7	16%
あなた、開発者、指示者	2	4%
あなた、指示者	1	2%
あなた、自律機械	1	2%
指示者	3	7%
自律機械	1	2%
(判断保留)	1	2%
合計	45	100%

表１：文章Aの著作権は誰に帰属するか?
(2017年の集計結果)

保有者リストに名があった	人数	割合
あなた	40	89%
開発者	9	20%
指示者	6	13%
自律機械	2	4%
あなた、自律機械	1	2%
指示者	3	7%
自律機械	1	2%

表２：表１を関係者・関係物ごとにまとめ直したもの

開発者を挙げる割合が表4で半分になっていることが興味深い。レポート内には明確な原因は確認できなかった。メタ的な考察をすることが許されるならば、この原因の一つは、ここでいう開発者は「テーマを与えた教員」と同一視されている可能性が高いというものである。「テーマを与えた教員」を悪く言うことはその大学生の心証を下げる可能性があるため、開発者も損害賠償するべきであるという考察を心理的に避けたのかもしれない。

続いて表3の結果を検討する。この表からおよそ半数の大学生が、「あなた」のみが損害賠償するべきであると考えていることが分かる。「あなた」のみ以外の組み合わせが多岐にわたることが興味深い。大学生ごとにこだわりがあるように思われる。出版社のみが損害賠償するべきであるという意見は、およそ1割であった。

２０１８年のアンケート調査に移る。大まかな前提状況と時系列は２０１７年のものと変わらないが、２０１８年では、次の関係者を追加した。

●データ提供者たち：「あなた」以外に、自分が書いた大量の文章データを自律機械に提供した人たち。

この変更により、自律機械が利用するのは、「あなた」の文章データとデータ提供者たちの文章データの両方である。

リストに名があった	人数	割合
あなた	35	78%
出版社	13	29%
指示者	8	18%
開発者	5	11%
自律機械	2	4%

表３：文章Aに関して誰が損害賠償するべきか?
(2017年の集計結果)

誰が損害賠償するべきか	人数	割合
あなた	22	49%
あなた、出版社	4	9%
あなた、出版社、開発者	2	5%
あなた、指示者	3	7%
あなた、開発者	2	5%
あなた、開発者、指示者、自律機械	1	2%
あなた、自律機械	1	2%
出版社	5	11%
出版社、指示者	2	4%
指示者	2	4%
(保留)	1	2%
合計	45	100%

表４：表３を関係者・関係物ごとにまとめ直したもの

これらの文章データを利用して自律機械が自動生成した文章を、以下、文章Bと呼ぶことにする。大学生に考察してもらったテーマは、上記テーマ内の「文章A」を「文章B」に置換したものである。今回も事前に演習実験を経験してもらっており、2018年は、「あなた」が書いた文章と赤の他人が書いた文章の両方を読み込んで短い物語文章を自動生成する簡易的な自律機械を大学生に与えた。

2018年におけるテーマⅰに関する意見を表5にまとめた。「あなた」の文章データとデータ提供者たちの文章データの両方が利用されることから、「あなた」とデータ提供者たち（とその他）の共同著作物であると考える大学生が、全体のおよそ9割であった。実際は、「誰の文章が利用されたのか分かる場合は、その人たちだけに限る」という意見もあり、厳密にはこれらは区別すべきかもしれないが、今回の集計ではこのような意見も「あなた、データ提供者たち」にまとめた。

関係者・関係物ごとに表5をまとめ直したものが表6である。ここでは、「あなた、データ提供者たち」は一塊として扱った。表2と比較すると、「あなた」と「あなた、データ提供者たち」の割合は同様であることが分かる。2018年は自律機械に著作権を認める意見はなかった。2018年は、指示者にも著作権を認める意見が前年のおよそ2倍に増えている。この原因は大学生のレポートを読んでも不明であるが、「あなた」個人が「あなた、データ提供者たち」という集団に変わったことにより、

誰に帰属するか	人数	割合
あなた、データ提供者たち	28	57%
あなた、データ提供者たち、指示者	6	13%
あなた、データ提供者たち、開発者	5	10%
あなた、データ提供者たち、開発者、指示者	3	6%
出版社	3	6%
あなた、データ提供者たち、出版社	2	4%
指示者	2	4%
自律機械	0	0%
合計	49	100%

表5：文章Bの著作権は誰に帰属するか?
(2018年の集計結果)

保有者リストに名があった	人数	割合
あなた、データ提供者たち	44	90%
指示者	11	22%
開発者	8	16%
出版社	5	10%
自律機械	0	0%

表6：表5を関係者・関係物ごとにまとめ直したもの

この集団に指示者を加えることに抵抗を感じにくくなったのかもしれない。

続いて、表5の結果を考察する。「あなた、データ提供者たち」のみに著作権を認める大学生は、全体のおよそ6割であった。表1と比較すると、先ほど考察したように、指示者も著作権者の一人であるとする意見が目立つ。

経済的利益に関しては、表5の各成分に出版社が追加されるものであった。２０１７年との違いは、レポートにおいて利益の分配を議論する大学生が多かったという点である。「誰の文章が利用されたのか分かる場合は、その割合に応じて利益を分配するべきである」という意見が多くみられた。開発者に対しては、売上に応じた利益を分配するのではなく、一定の金額を自律機械利用料として支払うべきであるという意見があった。今回の状況設定においては自律機械は単なるプログラムであり、毎回のメンテナンスはほぼ必要ない。しかしながら、「メンテナンス経費」を陽にテーマの話題に入れた場合、利益の分配という観点から、自律機械に経済的利益を認める大学生も現れるかもしれない。機会があれば、そのようなアンケート調査も実施してみたいと思う。

２０１８年におけるテーマiiに関する意見を表7にまとめた。「その他」を除いて、関係者・関係物ごとにまとめ直したものが表8である。まずは、表8から検討する。この表を見ると、過半数の大学生が「あなた、データ提供者たち」も損害賠償をするべきであると主張している。表4と比較すると、「あなた、データ提供者たち」の割合は低いように思えるが、代わりに指示者の割合が高まったことがその要因の一つのようである。「あなた、データ提供者たち」も損害賠償をするべきであると主張する大学生のほぼすべては、

「第三者に損害を与えた箇所が明確である場合、その元となった文章を提供した人間のみが賠償責任を負うべきである」と主張している。指示者もしくは自律機械が賠償責任を負うべきであると主張するのは、「組み合わせの罪」であるようである。「元の単独の文章では訴えられず、生成された文章が訴えられたのなら、複数の文章を混ぜて組み合わせたことが原因である。その原因となった指示者（もしくは自律機械）が悪い」という論理である。２０１７年はレポート内にこのような論理はみられなかったが、２０１８年は指示者に関してこの論理が目立った。

最後に表７の結果を検討する。表3とは傾向が異なり、「あなた、データ提供者たち」も含めた５つの意見が2割弱の同じような割合であった。やはり、大学生ごとにこだわりがあるように思われる。出版社のみが損害賠償するべきであるという意見はおよそ2割であり、２０１７年の2倍に増えた。指示者のみが損害賠償するべきであるという意見は、前年の4倍に増えた。「あなた」個人が「あなた、データ提供者たち」という集団に変わったことにより、統率者相当の出版社や指示者に責任を押し付けるべきであるという考えが生まれやすいのかもしれない。

以上、2年にわたるアンケート結果から、情報系の学生であっても、自律機械に所有の権利や応報を認めることは難しいという

誰が損害賠償するべきか	人数	割合
あなた、データ提供者たち	9	19%
出版社	9	19%
あなた、データ提供者たち、出版社	8	16%
指示者	8	16%
あなた、データ提供者たち、指示者	7	14%
あなた、データ提供者たち、開発者	2	4%
自律機械	1	2%
その他	5	10%
合計	49	100%

表７：文章Bに関して誰が損害賠償するべきか?
(2018年の集計結果)

リストに名があった	人数	割合
あなた、データ提供者たち	26	53%
出版社	17	35%
指示者	15	31%
開発者	2	4%
自律機械	1	2%

表８：表７を関係者・関係物ごとにまとめ直したもの

意見をもっていることが分かった。

5. まとめ

本章では、自然言語処理の技術が組み込まれた自律機械の特性について述べ、文章自動生成機能をもつ自律機械の所有と応報性について現在の法体制を踏まえながら議論した。また、このような自律機械の所有と応報性に関して、情報系の大学生に思考実験を通じて考えてもらい、彼らの意見をまとめた結果についても報告した。2年にわたるアンケート結果から、情報系の学生であっても、自律機械に所有の権利や応報を認めることは難しいという意見をもっていることが分かった。

2節と3節で述べたように、自然言語処理技術がこのまま発展すれば、ありもしないニュースをSNS上で自動発信したり、ほぼ無断盗用の文章をオリジナル作品であると偽って発表したりする自律機械が誕生する恐れが非常に高い。現在の法体制ではこれらの自律機械を裁くことはできない。自然言語処理の技術の高度化に伴う「自律的」な名誉毀損や著作権侵害問題に早期に法的対策が検討されることを切に願う。

【註】

（1）「GPT2」https://openai.com/blog/better-language-models/（アクセス：2020年9月7日）

（2）知的財産戦略推進事務局「AIによって生み出される創作物の取扱い（討議用）」http://www.kantei.go.jp/jp/singi/titeki2/tyousakai/kensho_hyoka_kikaku/2016/jisedai_tizai/dai4/siryou2.pdf（アクセス：2020年9月7日）

（3）松吉俊、内海彰「メタファー写像に基づく物語文章の自動生成」https://www.anlp.jp/proceedings/annual_meeting/2018/pdf_dir/D7-2.pdf
（4）松吉俊、内海彰「物語世界間のつながりが一部明示されたメタファー写像セットの構築」https://www.jstage.jst.go.jp/article/pjsai/JSAI2019/0/JSAI2019_2L5J902/_article/-char/ja

松吉 俊　まつよし すぐる
1980年、京都府生まれ。京都大学理学部卒業、京都大学大学院情報学研究科修了。博士（情報学）。奈良先端科学技術大学院大学特任助教、山梨大学大学院総合研究部工学域助教を経て、2016年より電気通信大学大学院情報理工学研究科助教。
専門は計算言語学・自然言語処理。主要業績に計算機用データベース「つつじ：日本語機能表現辞書」（http://www.cl.inf.uec.ac.jp/lr/tsutsuji/）がある。『講座日本語コーパス7 コーパスと辞書』（朝倉書店）の「第3章 機能表現の計算機処理」、『データに基づく日本語のモダリティ研究』（くろしお出版）の「第6章『現代日本語書き言葉均衡コーパス』に対するモダリティアノテーションとその分析」などの共著がある。言語処理技術発展のためのテキストデータベース（言語コーパス）や機械可読辞書の研究開発活動を行っている。

教育の変革

第10章

初等中等教育と人工知能

――学校教育における扱いの検討

中園長新

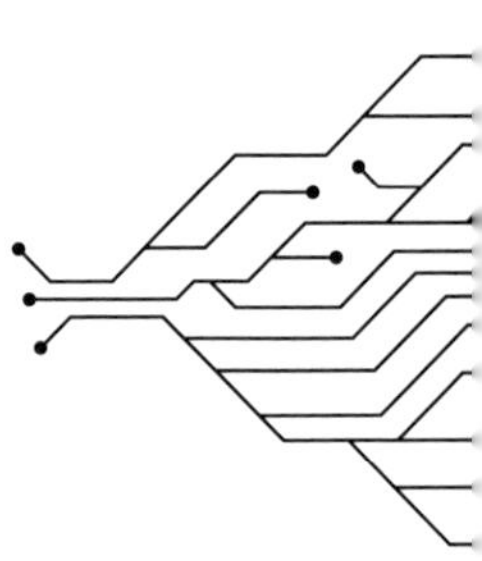

1. はじめに

21世紀は「知識基盤社会」(knowledge-based society)であると言われる。これは「新しい知識・情報・技術が政治・経済・文化をはじめ社会のあらゆる領域での活動の基盤として飛躍的に重要性を増す[1]」社会を意味しており、端的に表現するならば、モノ中心の社会から知識・情報が中心の社会へとシフトしていくことである。もちろんモノの価値が減少したわけではないが、相対的にみれば、現代は知識や情報の価値が飛躍的に増大している。

こうした社会の変化に伴い、学校等の教育現場もまた、その姿を変えつつある。情報教育については１９６０年代からすでにその必要性が提唱され[2]、一般情報教育[3]としては１９８０年代から本格的な議論が始まったが、１９８９(平成元)年改訂の学習指導要領でまずは教科横断的に導入された。その後、１９９９(平成11)年の学習指導要領改訂では高等学校に教科「情報」が新設され、体系的な情報教育を実践する場が設けられた。パソコンやタブレットといったＩＣＴ(Information and Communication Technology：情報コミュニケーション技術)の導入は全国に広がっており、先進的な学校では人工知能やロボット等を活用した授業実践も報告されている。２０１７（平成29）年改訂の学習指導要領では、小学校においてプログラミング教育が必修化（２０２０（令和２）年度から実施）されており、今後は小学校段階からプログラミング等に慣れ親しむことが当たり前の時代になるだろう。２０１９（令和元）年度からは文部科学省が「ＧＩＧＡスクール構想」を推進している。(4) これは学校において「１人１台端末と、高速大容量の通信ネットワークを一体的に整備することで、特別な支援を必要とする子供を含め、多様な子供たち一人一人に個別最適化され、資質・能力が一層確実に育成できる教育ＩＣＴ環境を実現する」ことや「これまでの我が国の教育実践と最先端のＩＣＴのベストミックスを図り、教師・児童生徒の力を最大限に引き出す」ことを目指した政策であり、実現すれば学校でさらなるＩＣＴ活用が推進されることが期待されている。一方で、こうした先端技術の導入にあたっては、(5) 多くの反対意見や慎重意見があり、思うように推進されていないという現状も報告されている。

本章では、先端技術の中でも近年特に注目を集めている人工知能に着目する。小・中・高等学校を中心とした初等中等教育を対象に、人工知能が現在どのように扱われているのかを確認し、その流れを受けてこれからの教育現場がどのように変わっていく必要があるのかを検討する。

2. 我が国の教育制度概観

はじめに、我が国の教育制度について簡単に紹介する。本節では以降の内容に関わる事項のみを紹介するため、より詳しい教育制度に興味のある方は、ぜひ教育学の専門文献等を参照していただきたい。

学校教育法(昭和22年法律第26号)第1条では、「幼稚園、小学校、中学校、義務教育学校、高等学校、中等教育学校、特別支援学校、大学及び高等専門学校」の9校種を「学校」と規定している。このうち、小学校段階を初等教育、中学校・高等学校段階を中等教育、大学段階を高等教育と呼ぶ(初等中等教育については図1を参照)。初等中等教育段階の学校(小学校、中学校、義務教育学校、高等学校、中等教育学校、特別支援学校)は、文部科学省が告示する学習指導要領に沿って教育を行うことが定められている。(6) ただし、学習指導要領は最低基準であり、その範囲を超えた指導がまったく認められていないわけではない。小学校学習指導要領の第1章「総則」には「学校において特に必要がある場合には、第2章以下［引用者註：各教科、道徳科、外国語活動、総合的な学習の時間、特別活動］に示していない内容を加えて指導することができる。また、第2章以下に示す内容の取扱いのうち内容の範囲や程度等を示す事項は、すべての児童に対して指導するものとする内容の範囲や程度等を示したものであり、学校において特に必要がある場合には、この事項にかかわらず加えて指導することができる。ただし、これらの場合には、第2章以下に示す各教科、道徳科、外国語活動及び特別活動の目標や内容の趣旨を逸脱したり、児童の負担過重となったりすることのないようにしなければならない」(7) との記述があり、これは中学校・高等学校の学習指導要領でもほぼ同一である。すなわち、最低基準としての学習指導要領の目標を達成しており、児童生徒に適切な学びであれば、児童生徒の実態に応じて発展的な内容を扱うことも可能である。

学習指導要領は、全国どこの学校でも一定の水準が保てるように、文部科学省が定めている教育課程(カリキュラム)の基準である。近年はおおむね10年おきに改訂されており、本章執筆

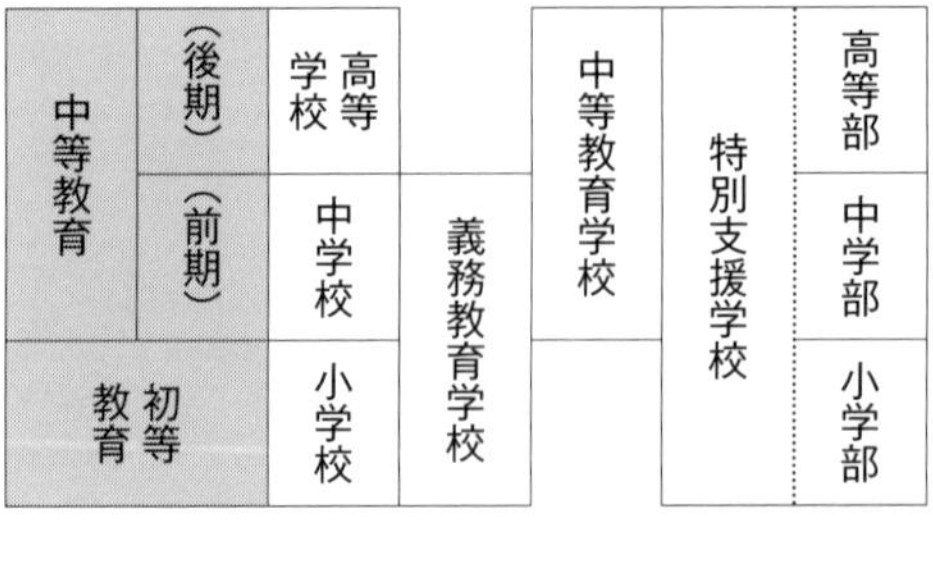

中等教育	(後期)	高等学校		中等教育学校	特別支援学校	高等部
	(前期)	中学校	義務教育学校			中学部
初等教育		小学校				小学部

図1．我が国の学校制度
(初等中等教育のみ簡略化して整理、学校教育法等を参考に筆者作成)

（２０２０年）現在、小学校・中学校は２０１７（平成29）年改訂、高等学校・特別支援学校は２０１８（平成30）年改訂が、それぞれ告示されている最新版である。ただし、告示から実施までは数年のブランクがあるため、これらの学習指導要領は、小学校は２０２０（令和２）年度から全面実施、中学校は２０２１（令和３）年度から全面実施、高等学校は２０２２（令和４）年度から学年進行実施となる。[8]学習指導要領は文部科学省が作成し告示するが、その作成にあたっては、文部科学省の諮問機関である中央教育審議会（中教審）の「答申」が大きな影響力をもつ。そのため、答申を読み解き理解することが、学習指導要領の方向性を理解することに役立つ。

学習指導要領は法令ではないが、法令と同様の効力（法的拘束力）をもつとされる。そのため前述の通り、すべての初等中等教育諸学校は、学習指導要領に準拠した教育をしなければならない。ただし、最先端の教育を実験的に実践する学校等においては、特例的な教育課程を用いることが認められている。[9]

3. 学校教育と人工知能

我が国の学校教育の根幹をなす学習指導要領であるが、その改訂には社会の変化が大きく作用している。特に最新の２０１７・２０１８（平成29・30）年改訂では、人工知能をはじめとした技術革新も大きな影響を与えている。本節では、先端技術の中から特に人工知能に着目し、学習指導要領をはじめとした学校教育との関わりを考えてみたい。

3・1　Society 5.0と第3期教育振興基本計画

Society（ソサエティ） 5.0とは、「サイバー空間（仮想空間）とフィジカル空間（現実空間）を高度に融合させたシステムにより、経済発展と社会的課題の解決を両立する、人間中心の社会（Society）」のことである。狩猟社会（Society 1.0）、農耕社会（Society 2.0）、工業社会（Society 3.0）、情報社会（Society 4.0）に続く、新たな社会を指すもので、第5期科学技術基本計画〔内閣府（２０１６）〕において提唱され、その後のさまざまな政策に影響を与えている。[10]

その影響は教育にも及んでいる。２０１８（平成30）年6月に閣議決定された「第３期教育振興基本計画」〔文部科学省（２０１８ｃ）〕では、その冒頭で「超スマート社会（Society 5.0）時代の到来」を取り上げ、人工知能等の技術革新が教育に与える影響について言及している。教育振興基本計画は教育基本法（平成18年法律第１２０号）第17条に基づき、政府が5年おきに定めるもので、我が国の教育全体の基本方針となるものである。すなわち、人工知能等の技術革新を背景として、そうした社会に対応した教育を実現することが求められているといえる。このような動きは当然ながら学校教育へも大きな影響を与えており〔山本（２０１９）〕、第3期教育振興基本計画とほぼ同時期に告示された学習指導要領（平成29・30年告示）においても、同様の傾向が読み取れる。

3・2　中教審答申と学習指導要領における人工知能に関する記述

２０１７・２０１８（平成29・30）年に告示された学習指導要領改訂の方向性を定めたのは、２０１６（平成28）年12月21日に発表された中央教育審議会答申「幼稚園、小学校、中学校、高等学校及び特別支援学校の学習指導要領等の改善及び必要な方策等について」（中央教育審議会（２０１６））（以下、中教審答申）である。この答申の第１部第２章「２０３０年の社会と子供たちの未来」において、次の通り人工知能への言及が確認できる（傍線は筆者による）[11]。

○　とりわけ最近では、第４次産業革命ともいわれる、進化した人工知能がさまざまな判断を行ったり、身近な物の働きがインターネット経由で最適化されたりする時代の到来が、社会や生活を大きく変えていくとの予測がなされている。〝人工知能の急速な進化が、人間の職業を奪うのではないか〟〝今学校で教えていることは時代が変化したら通用しなくなるのではないか〟といった不安の声もあり、それを裏付けるような未来予測も多く発表されている。

○　人工知能がいかに進化しようとも、それが行っているのは与えられた目的の中での処理である。一方で人間は、感性を豊かに働かせながら、どのような未来を創っていくのか、どのように社会や人生をよりよいものにしていくのかという目的を自ら考え出すことができる。多様な文脈が複雑に入り交じった環境の中でも、場面や状況を理解して自ら目的を設定し、その目的に応じて必要な情報を見いだし、情報を基に深く理解して自分の考えをまとめたり、相手にふさわしい表現を工夫したり、答えのない課題に対して、多様な他者と協働しながら目的に応じた納得解を見いだしたりすることができるという強みを持っている。

中教審答申では、今後の社会で人工知能が重要な位置を占め、社会のあり方を変えていくであろうことが予期されている。一方で、人工知能が進化していく中でも、人間の価値や強みが完全に失われるわけではないことも示唆されている。こうした未来予測は、前述した第3期教育振興基本計画とほぼ同一の方向性をもっていると考えてよいだろう。教育は社会における営みの一つと考えることもできるから、人工知能によって社会が変化するのであれば、それに呼応して教育も変化しなければならない。

ところで、この中教審答申を受けて告示された2017・2018（平成29・30）年改訂の学習指導要領では、本文中で人工知能への言及は少ない。小学校学習指導要領では、全文検索しても「人工知能」という語は一度も登場しない。中学校学習指導要領および高等学校学習指導要領では、次の通り、教科・科目の学習内容として登場するのみである（各引用部分の1行目に示した括弧書きは出典、傍線は筆者による）。

（中学校学習指導要領　社会科「私たちと現代社会」[12]）

「情報化」については、人工知能の急速な進化などによる産業や社会の構造的な変化などと関連付けたり、災害時における防災情報の発信・活用などの具体的事例を取り上げたりすること。

（高等学校学習指導要領　世界史探究（地理歴史科）「地球世界の課題」[13]）

原子力の利用や宇宙探査などの科学技術、医療技術・バイオテクノロジーと生命倫理、人工知能と労働の在り方の変容、情報通信技術の発達と知識の普及などを基に、知識基盤社会の展開と課題を理解すること。

（高等学校学習指導要領　倫理（公民科）「現代の諸課題と倫理」）[14]
「科学技術」については、近年の飛躍的な科学技術の進展を踏まえ、人工知能（ＡＩ）をはじめとした先端科学技術の利用と人間生活や社会の在り方についても思索できるよう指導すること。

（高等学校学習指導要領　農業機械（農業科）「農業機械化の展望」）[15]
〔指導項目〕の（5）については、自動制御機器や人工知能などの技術の進展に対応した題材を取り上げ、その活用について基礎的な内容を扱うこと。

なお、学習指導要領を補足する資料である「学習指導要領解説」にまで目を向ければ、人工知能に関する言及はさらに多くなる。たとえば、高等学校情報科の「解説」では、複数箇所で人工知能という言葉が確認できる（この点については次項で扱う）。そのため、学習指導要領の本文に登場しないからといって、人工知能の扱いがない（あるいは少ない）とみなすことはできない点に注意を要する。

ともあれ、こうして人工知能への言及を俯瞰すると、学習指導要領レベルでは、主として社会科学分野（社会的側面）の視点から人工知能に言及していることが分かる。一方で、工学・理学分野等の科学的側面からのアプローチは弱いようにも感じられる。別の見方をすれば、現在の学校教育は人工知能を所与のものとして受け止め、その社会的影響を考察することに主眼を置いていると考えることもできるだろう。その反面、人工知能の仕組みや技術を学び、よりよい活用を検討したりするといった、人工知能そのものを学習する機会は十分ではないと考えられる。

3·3　高等学校情報科における人工知能の扱い

前項で確認した通り、小・中・高等学校学習指導要領の本文においては、人工知能への言及は限定的であった。しかし、学習指導要領は必要最小限の内容を取りまとめたものであり、その内容に関する詳細は「解説」と呼ばれる別冊にまとめられている。「解説」は教科等ごとに作成されているが、ここでは『高等学校学習指導要領（平成30年告示）解説　情報編』〔文部科学省（2018b）〕に着目したい。[16]なお、高等学校における情報科は、各学科に共通する教科（共通教科）である「情報」と、主として専門学科において開設される教科（専門教科）である「情報」の2種類が存在するが、ここでは共通教科情報科のみを取り上げる。以降、単に情報科と記載した場合は、共通教科情報科を指すものとする。

平成30年に改訂・告示された高等学校学習指導要領において、情報科は「情報Ⅰ」「情報Ⅱ」の2科目に再編された。このうち「情報Ⅰ」2単位は必履修科目であり、原則としてすべての高校生が履修する。「情報Ⅱ」2単位は選択科目であり、「情報Ⅰ」の履修を踏まえて発展的な学習を行う科目として位置づけられている。それぞれの科目が扱う内容は、表1の通りである。

高等学校情報科は、情報教育を扱う教科である。情報教育とは情報活用能力を育成する教育であり、その能力は「情報活用の実践力」「情報の科学的な理解」「情報社会に参画する態度」の三観点で構成されている。[17]「情報活用の実践力」は情報活用能力の基礎となる力であるため、具体的な能力としては、科学的側面と社会的側面の二つがあると考えることができる。

しかし、情報教育のすべてを高等学校情報科が担うのではない。高等学校情報科は、小・中・高等学校における情報教育の核としての位置づけである。各校種・教科等で扱っている情報教育を体系的

情報Ⅰ（必履修）	情報Ⅱ（選択）
(1) 情報社会の問題解決	(1) 情報社会の進展と情報技術
(2) コミュニケーションと情報デザイン	(2) コミュニケーションとコンテンツ
(3) コンピュータとプログラミング	(3) 情報とデータサイエンス
(4) 情報通信ネットワークとデータの活用	(4) 情報システムとプログラミング
	(5) 情報と情報技術を活用した問題発見・解決の探究

表１：「情報Ⅰ」および「情報Ⅱ」の内容（文部科学省（2018a）を元に筆者作成）

に取りまとめると同時に、情報科での学びが他教科等で活用されることが期待されている。

　本書における他の章を見ても分かる通り、人工知能に関してはさまざまな視点で論じることができるが、実装部分に情報科学の知見が多く活用されていることを踏まえると、情報教育分野からの言及は欠かせない。そのため、高等学校情報科で人工知能をどのように扱っているか確認することは、教育と先端技術の関係性を論じる上で有意義であろう。ここでは、文部科学省『高等学校学習指導要領（平成30年告示）解説　情報編』において「人工知能」という語がどのように扱われているのかを確認することで、高等学校情報科における人工知能の扱いについて検討したい。

　必履修科目「情報Ⅰ」では、内容の「（1）情報社会の問題解決」ならびに「（3）コンピュータとプログラミング」において、人工知能に関する次のような記述が見られる（各引用部分の1行目に示した括弧書きは出典、傍線は筆者による）。

（第1部第2章「共通教科情報科の各科目」第1節「情報Ⅰ」2「内容とその取扱い」（1）「情報社会の問題解決」）[18]
　アの（ウ）情報技術が人や社会に果たす役割と及ぼす影響について理解することでは、情報社会の変化に対応するために、人工知能やロボットなどで利用される情報技術の発展が社会の利便性を高め、人の生活や経済活動を豊かにさせる反面、サイバー犯罪や情報格差、健康への影響などを生じさせていること、人工知能などの発達により人に求められる仕事の内容が変化していくことなどについて理解するようにする。その際、情報化の「影」の影響を少なくし、「光」の恩恵をより多く享受するために問題解決の考え方が重要であることを理解するようにする。

イの（ウ）情報と情報技術の適切かつ効果的な活用と望ましい情報社会の構築について考察することでは、情報社会に寄与するために、情報と情報技術を適切に活用できる力、望ましい情報社会の在り方について考える力、人工知能やロボットなどの情報技術の補助を受けたときに人に求められる仕事がどのように変わるか考える力、情報社会をよりよくする方法について提案する力を養う。

例えば、ＳＮＳなどの特性や利用状況を調べることによって、時間や場所を越えてコミュニケーションが可能になったこと、誹謗・中傷などの悪質な書き込みが問題になっていること、いわゆるネット依存やテクノストレスなどの健康面への影響が懸念されていることなどを扱うことが考えられる。また、電子マネーやＩＣカード、ＩＣチップなどの普及によって、自動改札やセルフレジなどが増加したこと、人工知能やロボットが発達したことなどで、人の仕事内容が変化したことなどを扱うことが考えられる。

（第１部第２章「共通教科情報科の各科目」第１節「情報Ｉ」２「内容とその取扱い」（３）「コンピュータとプログラミング」）[19]

更に問題解決のためのプログラミングを取り上げ、プログラミングでワードプロセッサや表計算ソフトウェアのようなアプリケーションソフトウェアがもつ検索や置換及び並べ替えなどの機能の一部を実現したり、ツールやアプリケーションを開発したり、カメラやセンサ及びアクチュエータを利用したり、画像認識や音声認識及び人工知能などの既存のライブラリを組み込んだり、ＡＰＩを用いたりすることなどが考えられる。その際、人に優しく使いやすいインタフェース、手順を分かりやすく表現するアルゴリズム、効率的で読みやすいプログラムなどのデザインについて触れる。

これらのうち、「(1)情報社会の問題解決」における記述では、人工知能やロボットといった先端技術により、社会がどのように変化するかに注目している。特に、人の仕事内容の変化に対する影響への言及が多く、社会に出る一歩手前の学校種である高等学校の特性を踏まえたものであると考えられる。

一方で、「(3)コンピュータとプログラミング」においては、人工知能等のライブラリやAPIの活用が述べられている。この部分については、人工知能の活用という点では科学的側面に属する内容であるが、人工知能そのものの仕組みや技術に踏み込むというよりも、人工知能を所与のものとみなし、深入りするには至っていない。この点については、次に述べる「情報Ⅱ」との相違点が見いだせる。

選択科目である「情報Ⅱ」は、「情報Ⅰ」の内容を踏まえ、高度化させた内容を扱うこととなっている。「情報Ⅱ」では、内容の「(1)情報社会の進展と情報技術」「(3)情報とデータサイエンス」ならびに「(5)情報と情報技術を活用した問題発見・解決の探究」において、人工知能に関する次のような記述が見られる(各引用部分の1行目に示した括弧書きは出典、傍線は筆者による)。

(第1部第2章「共通教科情報科の各科目」第2節「情報Ⅱ」2「内容とその取扱い」(1)「情報社会の進展と情報技術」)[20]

アの(ウ)情報技術の発展による人の知的活動への影響について理解することでは、適切にコンピュータを活用するために、情報システムが社会のさまざまな場面で活用されていること、情報システムは互いに連携しながら社会生活を支える役割を果たし、人の活動、とりわけ、人の知的活動に影響を及ぼしていることを理解するようにする。その際、情報技術の進展により人工知能の機能や性能などが向上すると人の役割は変化し、人間に求められる知的活動、例えば、人の働き方などが変わってくることを理解するようにする。

（中略）

例えば、情報技術の進展による人工知能の機能や性能の向上を取り上げ、社会の変化や仕事の変化及び人に求められる資質・能力の変化を扱うことが考えられる。また、将来の情報技術を活用した新たな情報システムを取り上げ、その効果と影響を扱うことが考えられる。例えば、自動運転やマーケティングなどのデータを活用した技術などを取り上げ、その意義や活用、想定される問題などについて扱うことが考えられる。

（中略）

また、有能な専門家や職人の知的資産や技術資産などを人工知能に学習させ活用できる社会になれば、人の仕事はどのようになっていくかについて予測し、今後、職業や雇用の在り方などがどのように変化していくかなどについて検討することが考えられる。

更に、人工知能の導入と普及による雇用の影響について、地域や学校の実態及び生徒の状況に応じて、賛否両論の立場について討論し、人の知的活動が変化する情報社会において、よい人間関係を構築・維持するために必要なルールやマナーについて理解を深めるために、新しい技術や情報システムの利用方法などを議論するなど、情報社会の安全を維持するための人の役割や責任について検討することが考えられる。

（第1部第2章「共通教科情報科の各科目」第2節「情報Ⅱ」2「内容とその取扱い」（3）「情報とデータサイエンス」）[21]

　ここでは、情報の科学的な見方・考え方を働かせて、問題を明確にし、分析方針を立て、社会のさまざまなデータ、情報システムや情報通信ネットワークに接続された情報機器により生成されているデータについて、整理、整形、分析などを行う。また、その結果を考察する学習活動を通して、社会や身近な生活の中でデータサイエンスに関する多様な知識や技術を用いて、人工知能による画像認識、翻訳など、機械学習を活用したさまざまな製品やサービスが開発されたり、新たな知見が生み出されたりしていることを理解するようにする。更に、不確実な事象を予測するなどの問題発見・解決行うために、データの収集、整理、整形、モデル化、可視化、分析、評価、実行、効果検証などの各過程における方法を理解し、必要な技能を身に付け、データに基づいて科学的に考えることにより問題解決に取り組む力を養うことをねらいとしている。

（中略）

　イ（ア）目的に応じて、適切なデータを収集し、整理し、整形することでは、多様かつ大量のデータを活用することの効果と影響を踏まえて社会においてデータを活用することが有効である場面、測定しようとするもの以外で結果に影響を与える交絡因子、信頼性の高いデータを収集し適切に問題解決に活用するために必要なデータの整理や整形、データを収集する際に存在するさまざまなバイアスやデータの入手元の違いによる信頼性を含めたデータの特性について判断する力を養う。また、機械学習の技術を用いた人工知能の判断の精度を上げるために、目的に応じてどのようなデータを用意すればよいかを考える力を養うことも考えられる。

（中略）

更に進んだ学習として、ある程度の数の簡単な手書き文字を収集し、定形の数字やアルファベットなどの単純な文字について画像やピクセルデータ等に変換し、それらの文字を認識する処理について考え、実際に実習や体験を行うことによって、人工知能やロボットの反応や判断についての理解を深める学習活動をすることが考えられる。なお、個人情報が含まれる場合などは、その取扱いに十分に留意することが必要である。

（第1部第2章「共通教科情報科の各科目」第2節「情報Ⅱ」2「内容とその取扱い」（5）「情報と情報技術を活用した問題発見・解決の探究」）[22]

「情報社会と情報技術」については、現在使われている情報技術、あるいは将来予測される情報技術により情報社会が受ける効果や影響についてまとめ、必要な対策を考えるなどの学習活動が考えられる。例えば、人工知能の発達による社会や生活の変化について多角的に検討し、その効果や影響についてまとめ、人間に求められる能力の変化や、社会で必要とされる新たな職業について提案するなどの活動が考えられる。また、高度に発達した情報システムにより個人情報が収集されることによる利便性と危険性について調べ、個人情報の保護と活用についての学習教材や啓発リーフレットを作成するなどの活動が考えられる。

最初に気付くのは、「情報Ⅰ」に比べて「人工知能」という語の登場回数が増えていることである。このことから、「情報Ⅱ」では、人工知能等の先端技術をより重視して扱っていこうとする姿勢が確認できる。「(1)情報社会の進展と情報技術」に関しては「情報Ⅰ」と同様に、人工知能による社会の変化と、それに伴う人の仕事の変化を中心に扱うことが示されている。ただし「情報Ⅰ」とは異なり、「情報技術の進展による人工知能の機能や性能の向上」といった表現が見られることから、変化後の社会を検討するだけでなく、社会変化をもたらした人工知能の機能・性能にも着目する等、科学的側面も踏まえている点が特徴といえるだろう。

「(3)情報とデータサイエンス」では、データサイエンスの文脈から人工知能を扱っている。機械学習についても言及されており、人工知能を所与のものとして扱いつつも、その内部の仕組み等についても考察することが可能であると考えられる。人工知能の科学的側面に正面から向き合っている内容と考えられる。「(5)情報と情報技術を活用した問題発見・解決の探究」は、「情報Ⅱ」において総まとめのような位置づけの内容であるが、ここで扱われている人工知能は、主として社会に対する影響の考察である。

内容において人工知能に言及した部分を確認すると、「情報Ⅰ」では主として社会との関わりから人工知能を捉えており、人工知能そのものの科学的な仕組み等については深入りしていない。しかし、社会への影響に関しては人の仕事との関わりを重視する等、高校生が身近なテーマとして扱えるような工夫がなされていることが分かる。科学的側面については、プログラミングにおける人工知能そのものの仕組みに深入りしたり、人工知能を作成あるいは改良したりするような内容は含んでいない。

一方で、「情報Ⅱ」では科学的側面を踏まえた内容が比較的多くなっている。人工知能を所与のものとして活用するだけでなく、その仕組みを扱ったり、人工知能の精度向上を検討したりする等、自らすすんで人工知能を本質的に扱っていく内容が含まれている。もちろん社会的側面についても「情報Ⅰ」を継承し、科学的側面との関わりを踏まえながら深掘りしていくことが意識されている。

「情報Ⅰ」「情報Ⅱ」それぞれの学習指導要領解説を読み解くと、「情報Ⅰ」において人工知能の社会的側面を中心に扱い、それを土台として「情報Ⅱ」では科学的側面にも深く切り込んでいく、という科目間の役割分担がみてとれる。なお、2節で確認した通り、学習指導要領はあくまでも最低基準であり、発展的な内容を扱うことは制限されていないから、「情報Ⅰ」で科学的側面をより充実させた授業を実践したりすることも可能である。「情報Ⅰ」は必履修の科目であり、原則としてすべての高等学校においてすべての生徒が履修するが、「情報Ⅱ」は選択科目であるため、開講しない学校や履修しない生徒も多いことが考えられる。そういった科目の事情を考えると、必履修科目である「情報Ⅰ」においても、科学的側面からのアプローチを十分に盛り込むことが必要なのではないだろうか。この点については今後の実践事例に期待したい。

4. 教育における人工知能の活用事例

ここまで、学習指導要領を中心としながら、学校教育における人工知能の扱いについて検討してきた。

本節では、実際の学校教育や教育業界において人工知能がどのように活用されているかについて、具体例を紹介する。ひとつは実際の学校で実践された先進的事例であり、もうひとつは２０２０年のコロナ禍に伴う教育業界の動向である。それぞれの事例に関連性はないが、人工知能に関する教育実践を考えていく上で参考になるものと思われる。

4・1　人工知能の技術を活用した先進的授業実践の事例

実際の学校現場において人工知能を活用した授業実践はまだ少ないが、ここでは先進的な事例をひとつ紹介したい。

神奈川県の私立学校である鎌倉女学園高等学校では、２０１９(令和元)年11月に2年生を対象として「1日転校生Saya」という授業を実践した。クラスにSayaという少女が1日だけ転校生として参加し、クラスメイトと「友達とは○○である」をテーマに会話するという内容であった。

転校生であるSayaは、生身の人間ではない。アーティストユニットのＴＥＬＹＵＫＡ[23]による3ＤＣＧで、そのリアルさは発表当初から「不気味の谷を越えた」[24]と評されるほどである。Sayaはさまざまな分野とコラボレーションしており、動作はもちろん、博報堂と博報堂アイ・スタジオが開発した会話機能「Talk to Saya」を活用することで会話も可能である。この実践ではパソコンモニタに表示されたSayaに対し、高校生がマイクを通して会話することで、Sayaが友達という存在について学習していくという内容であった。Sayaは生徒の発言を聞いたり、発言に対して質問やコメントを返したりしながら、会話の内容を人工知能として学習し、授業の終わりに学習したことを自ら発表した。実践の詳細については、Sayaの会話機能を開発した博報堂のニュースリリースに詳しい。[25]

神奈川県高等学校教科研究会情報部会の実践事例報告会での報告〔工藤（2019）〕によれば、今回用いたSayaの学習機能は、機械学習というには小規模なものであったという。しかし、高校生はSayaとの出会いに驚きつつも、最後は自然に受け入れていったことが報告されていた。[26]

4・2　コロナ禍の教育における人工知能の活用

２０２０（令和２）年３月、新型コロナウイルス感染症（ＣＯＶＩＤ－19）の拡大に伴い、全国の学校が臨時休校となった。４月７日に埼玉・千葉・東京・神奈川・大阪・兵庫・福岡の7都府県にはじまり、同月16日に全国に拡大した緊急事態宣言は、５月25日に全県で解除されるまで1カ月以上継続した。３月から続いていた学校の休校は（自治体や学校によって異なるが）およそ3カ月にわたることとなり、その期間の子どもたちの学びをどのように支えていくかが問題となった。

このような想定外の事態に対し、教育産業はこぞって自社製品・サービスを無償で期間限定開放した。こうした製品・サービスの情報は、文部科学省のウェブサイト「臨時休業期間における学習支援コンテンツポータルサイト（子供の学び応援サイト）」[27]や、経済産業省のウェブサイト「新型コロナ感染症による学校休業対策『#学びを止めない未来の教室』」[28]等で確認することができる。その中には、人工知能の活用をうたう製品・サービスも多く含まれていた。[29]学校が休校になり、児童生徒が自宅で自主学習に取り組まざるを得ない状況において、人工知能の活用を謳う製品・サービスは個別最適化された学習を実現することができる。たとえば、atama plus株式会社が提供するラーニングサービス「atama＋」については「一人ひとりの得意、苦手、伸び、つまずき、集中状態などのデータをＡＩが分析し、その子だけの最短ルートの学びを提供。クラス全員がただ同じ黒板を見る授業では不可能だった、一人ひとりに寄り添う学習を実現します」との概要文が紹介されている。[30]人工知能（ＡＩ）による「オーダーメイド学習」は、自宅での自主学習に適した学習スタイルのひとつといえるだろう。

コロナ禍は学校教育にも大きな変革をもたらしたが、そのひとつとして個別最適化された学習の推進があるのではないかと思われる。従来型の既成の教材を使うだけの教育ではなく、人工知能によって学習者に最適な教材を判断し、適切な順序やタイミングで提供する学習のあり方が検討されているといえよう。

5. 学校教育における人工知能へのアプローチ提案

前節まで、学校教育において人工知能がどのように扱われているかについて、高等学校情報科を中心に確認してきた。こうした現状を鑑みると、現在の教育現場は「人工知能を活用する」準備は整いつつあるといえる。一方で、「人工知能の本質を知る」ための機会の確保については不安が残る。３・３項で確認した高等学校情報科においても、人工知能の社会的側面は多く扱っているものの、科学的側面の扱いがやや弱いことが明らかになった。

学校教育において、人工知能はいわゆる「ブラックボックス」のままでよいのだろうか。人工知能の仕組みをはじめとした本質を知らずして、効果的な活用には限界があると考えられる。人工知能に限ったことではないが、本質を知らないまま使う場合、既知の活用を超えることは難しい。本質を正しく理解することにより、これまで気付いていなかった新しい活用が見いだされたり、より効果的な活用を検討できたりするのではないだろうか。今後の社会では人工知能がますます高度化し、活用が進むと考えられるため、初等中等教育においても、人工知能そのものを（特に科学的に）適切に学習する機会が必要であろう。

それでは、学校教育では人工知能にどのようなアプローチをしていけばよいのか。本章ではこの問いに対し、社会的側面と科学的側面を踏まえて2通りのアプローチを提案したい。

ひとつは、社会的側面から科学的側面へのアプローチである。私たちが生活している社会の中で人工知能を活用している事例を取り上げ、それを参考に人工知能とは何であるかを考えさせる授業を実践することができる。これは社会的側面を主軸とするため、学習指導要領の範疇で十分に実践可能である。学校で活用している教材の中で人工知能を活用しているものがあれば、事例として取り上げることもできるだろう。児童生徒にとって身近な事例を導入として人工知能の社会的側面を捉えつつ、そこから科学的側面に展開していくことが求められる。人工知能による社会の変化を結果だけ受け止めるのではなく、どのような技術によってその変化がもたらされたのかといった視点から、科学的理解につなげていくことができると考えられる。

もうひとつは、科学的側面から社会的側面へのアプローチである。最新ニュース等で人工知能の科学的側面が取り上げられている事例を用いて、人工知能とは何であるかを考えさせる授業を実践することができる。たとえば、自動運転車に搭載されている人工知能の仕組みを学習し、そうした技術が私たちの社会をどのように変えていくかを考察させるような授業が考えられる。技術的新規性を前面に押し出して児童生徒の興味関心をひくことになるため、たとえば理科や技術・家庭科（技術分野）のような教科・分野との親和性が高いかもしれない。ただし、技術的に高度な内容を扱ってしまうと学習指導要領の内容を不適切に逸脱したり、児童生徒のレベルにあわない内容になってしまったりする恐れがあるため、実践に際しては科学的にどの程度まで深掘りするのか、児童生徒の実態を踏まえた適切な配慮が必要である。

6. おわりに――今後の教育に向けて

本章では、初等中等教育において人工知能がどのように扱われているかを検討し、人工知能について学ぶためのアプローチを提案した。こうした授業を実践するためには、教師自身が人工知能等の先端技術を理解していなければならない。教師自身が人工知能について正しく理解することは、児童生徒への適切な教育の前提条件である。

教師（あるいは教師志望者）が人工知能について学ぶ機会としては、大学等における教員養成課程の科目、各種研修（初任者研修等の法定研修や、教育委員会が実施する研修等）、教員グループや学会・研究会等が実施する研修・勉強会等、校内研修等が考えられる。できるだけ多くの教員が、こうした学びの場に積極的に参加し、人工知能等の先端技術について自ら学び続ける姿勢をもってほしい。あわせて、日常生活においても、人工知能等の先端技術に関して敏感になり、身近な場面やニュース等からさまざまな情報を入手するよう努めることも必要であろう。

児童生徒が実際に人工知能について学習するための具体的なカリキュラムや、教師（あるいは教師志望者）が人工知能について学ぶための教員養成・研修のあり方等については、今後の検討課題である。また、授業の中で人工知能を扱っていくだけではなく、校務においても人工知能を活用することで省力化できる業務はないか、検討していくことも必要である。

人工知能だけでなく、今後もさまざまな先端技術が次々に登場し、それらを教育の中で扱うことも増えると予想されるが、学習内容が増加しても学習時間はさほど増加しない。そのような未来を考えると、教育内容の精選や校務の省力化・効率化といったことがますます必要となる。学校における働き方改革(31)に関しても、人工知能の恩恵を享受できる部分がないか検討する価値があるだろう。人工知能をはじめとした先端技術の台頭は、教育現場にとっては負担に感じる部分もあるかもしれない。しかし、受け身になって負担と感じるだけでなく、そうした先端技術を教育の中で能動的に有効活用し、教育のあり方をよりよい方向に改善していくこともまた、必要なことである。

【註】

(1) 中央教育審議会「新時代の高等教育と社会」２００５年、第1章。
(2) たとえば梅棹(１９６９)は、学校に「情報科」をつくって「情報時代のあたらしい教育」をほどこす未来を予見している。
(3) ここでの「一般情報教育」とは、久野(２０１０)にならい、専門高校等で行われる「情報技術の専門家を生み出すことを目的とした教育」ではなく、「(情報技術の専門家を目指す生徒に限らない)すべての児童・生徒を対象とした情報教育」を指す。
(4) 文部科学省「ＧＩＧＡスクール構想の実現について」https://www.mext.go.jp/a_menu/other/index_00001.htm（アクセス：２０２０年9月30日）
(5) 本章では、パソコンやタブレット等のＩＣＴ機器、人工知能、ロボット等の近年特に活用が進みつつある技術や、今後新たに登場することが予見される技術を総称して先端技術と呼ぶことにする。

(6) なお、幼稚園に関しても学習指導要領とほぼ同じ位置づけの「教育要領」が存在する。

(7) 文部科学省（2017a）、19頁。

(8) 学年進行実施とは、その年度以降に入学する学年にのみ新しい学習指導要領を適用する方式である。たとえば2022（令和4）年度は、1年生のみ新学習指導要領を実施し、2・3年生は従前の（旧）学習指導要領が継続適用される。2023（令和5）年度は1・2年生が新、3年生が旧となり、2024（令和6）年度には全学年が新学習指導要領に移行することとなる。

(9) 教育課程特例校、スーパーサイエンスハイスクール（SSH）、スーパーグローバルハイスクール（SGH）等のさまざまな制度が存在する。

(10) 内閣府「Society 5.0――科学技術政策」https://www8.cao.go.jp/cstp/society5_0/（アクセス：2020年9月30日）

(11) 中央教育審議会（2016）、9-10頁。

(12) 文部科学省（2017b）、61頁。

(13) 文部科学省（2018a）、75頁。

(14) 文部科学省（2018a）、86頁。

(15) 文部科学省（2018a）、215頁。

(16) 3・3項の内容は、筆者による既発表研究成果［中園（2020）］から抜粋・再編集したものである。

(17) 情報化の進展に対応した初等中等教育における情報教育の推進等に関する調査研究協力者会議（1997）に基づく。この3観点は、文部科学省（2020）等にも継承されている。

(18) 文部科学省（2018b）、25-26頁。

(19) 文部科学省（2018b）、33頁。

(20) 文部科学省（2018b）、44-45頁。

(21) 文部科学省（2018b）、49-53頁。

(22) 文部科学省（2018b）、59頁。

(23)「ＴＥＬＹＵＫＡ」https://www.telyuka.com/（アクセス：２０２０年9月30日）
(24) ロボットや写実的な作品等で、人間への類似度がある程度高まると、違和感や恐怖感といった負の感情が現れる現象。ロボット工学者の森政弘が提唱した〔森（１９７０）〕。
(25) 博報堂「博報堂と博報堂アイ・スタジオ、３ＤＣＧ女子高生Sayaとの会話を通してＡＩ技術を学ぶ授業「１日転校生Saya」を鎌倉女学院高等学校で実施」https://www.hakuhodo.co.jp/news/newsrelease/75395/（アクセス：２０２０年9月30日）
(26) 神奈川県高等学校教科研究会情報部会 http://www.johobukai.net/（アクセス：２０２０年9月30日）
(27) 文部科学省「臨時休業期間における学習支援コンテンツポータルサイト（子供の学び応援サイト）」https://www.mext.go.jp/a_menu/ikusei/gakusyushien/index_00001.htm（アクセス：２０２０年9月30日）
(28) 経済産業省「新型コロナ感染症による学校休業対策」『#学びを止めない未来の教室』https://www.learning-innovation.go.jp/covid_19/（アクセス：２０２０年9月30日）
(29) これらの製品・サービスにおける「人工知能」は自称であり、専門的見地から人工知能と呼んでよいか悩ましいレベルのものも含まれている可能性があるが、各製品・サービスが人工知能の活用を名乗ることの是非については、ここでは議論しない。
(30)「atama＋ ――未来の教室 ～learning innovation～」https://www.learning-innovation.go.jp/db/ed0076/（アクセス：２０２０年9月30日）
(31) 文部科学省「学校における働き方改革について」https://www.mext.go.jp/a_menu/shotou/hatarakikata/index.htm（アクセス：２０２０年9月30日）

▲参考文献▼

- 梅棹忠夫『知的生産の技術』岩波書店、１９６９年
- 工藤由希「鎌女にSayaが転校してきたら」神奈川県高等学校教科研究会情報部会 情報科実践事例報告会２０１９
- 久野靖「初等中等教育における一般情報教育」『メディア教育研究』第6巻第2号、２０１０年、Ｓ1-Ｓ10頁

■情報化の進展に対応した初等中等教育における情報教育の推進等に関する調査研究協力者会議「体系的な情報教育の実施に向けて（第一次報告）」１９９７年 https://www.mext.go.jp/b_menu/shingi/chousa/shotou/002/toushin/971001.htm（アクセス：２０２０年9月30日）

■中央教育審議会「我が国の高等教育の将来像（答申）」２００５年 https://www.mext.go.jp/b_menu/shingi/chukyo/chukyo0/toushin/05013101.htm（アクセス：２０２０年9月30日）

■中央教育審議会「幼稚園、小学校、中学校、高等学校及び特別支援学校の学習指導要領等の改善及び必要な方策等について（答申）」２０１６年 https://www.mext.go.jp/b_menu/shingi/chukyo/chukyo0/toushin/1380731.htm（アクセス：２０２０年9月30日）

■内閣府「第5期科学技術基本計画」２０１６年 https://www8.cao.go.jp/cstp/kihonkeikaku/index5.html（アクセス：２０２０年9月30日）

■中園長新「高等学校情報科における人工知能の扱い――学習指導要領解説の記述から」『情報処理学会研究報告 コンピュータと教育（CE）』Vol.2020-CE-157、No.13、２０２０年、1-8頁

■森政弘「不気味の谷」『Energy』第7巻第4号、エッソスタンダード石油、１９７０年、33-35頁

■文部科学省（２０１７a）『小学校学習指導要領（平成29年告示）』

■文部科学省（２０１７b）『中学校学習指導要領（平成29年告示）』

■文部科学省（２０１８a）『高等学校学習指導要領（平成30年告示）』

■文部科学省（２０１８b）『高等学校学習指導要領（平成30年告示）解説 情報編』

■文部科学省（２０１８c）「第3期教育振興基本計画」https://www.mext.go.jp/a_menu/keikaku/detail/1406059.htm（アクセス：２０２０年9月30日）

■文部科学省（２０２０）『教育の情報化に関する手引――追補版（令和2年6月）』

■山本容子「Society 5.0に向けた教育」藤田晃之、佐藤博志、根津朋実、平井悠介編著『最新教育キーワード――１５５のキーワードで押さえる教育』時事通信社、２０１９年、18-19頁

謝辞
本稿における調査・研究成果のうち情報教育に関する部分については、ＪＳＰＳ科研費ＪＰ１７Ｋ１４０４８の助成を受けた成果を含んでいます。

中園長新　なかぞの ながよし
1983年、福岡県生まれ。筑波大学第三学群情報学類卒業、同大学院システム情報工学研究科コンピュータサイエンス専攻（博士前期課程）修了、同大学院教育研究科スクールリーダーシップ開発専攻（修士課程）修了、同大学院図書館情報メディア研究科図書館情報メディア専攻（博士後期課程）単位取得退学。修士（工学）、修士（教育学）。筑波大学人間系特任研究員、秀明大学学校教師学部助教、同専任講師を経て、２０１９年度より東京福祉大学教育学部専任講師。
専門は高等学校情報科を中心とした初等中等教育における情報教育。主要業績として「高等学校教員の意識からみた情報教育推進の要件と課題」（『筑波大学教育学系論集』第39巻）がある。教育工学、教育方法学を中心に、情報科学や図書館情報学等の隣接領域の視点からも研究を行っており、研究・学術界における理論と学校教育現場における実践の往還を通して、情報教育の推進要件を考究している。

おわりに——人新世の人文学へ

学際研究の重要性が叫ばれて久しい。

しかし、実際に学際研究に人文学者が参与したとき、その役割はどのようなものになり得るのか。とりわけ、人文学者が工学や産業、そして社会にどのように寄与できるのか。

ひとつの寄与の仕方はその領域の倫理的原則の確立である。専門家はどうすべきであり、どうすべきではないかを、ある程度画一的に、倫理規定として定める。このような寄与の仕方は、医学領域においては「医療倫理」という形で一定の地位を得ている。だが、これと同様の仕方を工学や産業に適用すると、人文学者の参与は研究開発の「規制」という方向に働くことになる。そのため、研究開発からは人文学者は排除された方が合理的だ、と考える人は数多くいるだろう。

そもそも、人文学者が普段から何をやっているのかは、外からは見えづらい。編者の専門はギリシア哲学だが、たとえばアリストテレスの『形而上学』のギリシア語テキストについて、写本の異読をチェックし、近代語訳を複数参照しながら試訳を作成し、たった1行に時には10頁以上もあるコメンタリーを比較参照しながらノートを作り、それを基に論文を作成する、という作業を行っている。しかし、このような作業とこれに要するスキルが、工学や産業に生産的な寄与を与えるようには思えないだろう。もしかしたら、このような思いが、人文学は役に立たないとか、文学部や教養学部を大学から追放すべきであるとか、悲しむべき主張へと連なっていくのかもしれない。

本書は、科学技術振興機構（ＪＳＴ）社会科学技術開発センター（ＲＩＳＴＥＸ）人と情報のエコシステム領域（ＨＩＴＥ）において採択された企画調査「高度情報化社会における責任概念の策定」（２０１６年－２０１７年）、および研究開発プロジェクト「自律機械と市民をつなぐ責任概念の策定」（２０１７年－２０２１年）の研究成果の一部である。

人文学者でも、先述の通り、特にギリシア哲学という、「人と情報のエコシステム」という領域からは接点がほとんど見えない人間を代表者とするプロポーザルを採択することには、おそらく採択する側に相当な勇気が必要ではなかったかと思う。

幸いにもこれらのプロジェクトは良い研究仲間に恵まれ、彼らと共に4年近く研究活動を続けてこられた。この活動の中で、さまざまな領域の人々との出会いがあり、ＡＩや人工知能といった専門分野の現状も聞くことができた。その中で見えてきたことは、研究の最先端に近づくほど、その分野で用いる概念やモデルのオルタナティブが常に求められる、ということであった。新たな技術は、既存の技術の単純な延長線上にあるわけではない。これまでのアイデアとは異なるアプローチを常に模索していかなければ、そこで研究活動は行き詰ってしまう（この事情はおそらく人文学でも変わらない）。

そのような事情が見えてきたとき、人文学者が果たすべき工学や産業、そして社会への役割が見えてきた。それは、工学や産業の活動を規制するというよりも、彼らの活動をより適切な方向へ向かうように、文学、歴史、哲学といった文化的知見を背景に、さまざまな選択可能性を提示し、彼らと共に責任を背負っていくという道である。「豊かな社会」であるための条件の一つは、さまざまな選択可能性を保持し続けることができる社会である、と思えるようにもなってきた。

われわれのプロジェクトが目指したことは、科学技術と社会政策が、われわれの生きる社会をできるだけ悪くすることなく、ただ善くし、われわれの生を不幸なものではなく、少しでも幸福なものにするための課題を、技術的レベルにまで落とし込めるまでに明らかにすることであった。ここで詳細を語ることはできないが、実際にプロジェクトの中で、積極的に提言したいアイデアもいくつか生み出すこともできた。

そして、このような人文学の活動とそれに伴う覚悟が、次の世代に生命、文化、社会、環境、そして世界を残していくための「人新世の人文学」のひとつの形であると思う。とはいえ、この試みはまだ始まったばかりである。

本書は、この試みの第一歩である。

＊

本書がこのような形になるまでに、上記プロジェクトの研究分担者の他に、数多くの方々の支援を受けた。

２０２０年に東京大学大学院総合文化研究科を退職された信原幸弘先生には上記プロジェクトのアドバイザーとしてさまざまな助言をいただいた。私が大学1年生の時、はじめて受けた専門的な哲学の講義が信原先生による心の哲学を扱うものではなかったら、本書の存在はあり得なかったであろう。

また、編者の前任校である秀明大学理事長、学長の川島幸希先生には「高度情報化社会における責任概念の策定」、「自律機械と市民をつなぐ責任概念の策定」のスタートアップ時に並々ならぬご配慮をいただいた。その時に頂戴した数多くの手助けがなければ、研究成果はこのような明確な形にはならなかったであろう。

ＲＩＳＴＥＸ／ＨＩＴＥ領域での隣接プロジェクトである「自律性の検討に基づくなじみ社会における人工知能の法的電子人格」研究代表者であり、ロボカップの提唱者としても有名な大阪大学先導的学際研究機構附属共生知能システム研究センター特任教授の浅田稔先生、および大阪大学経営企画オフィス特任准教授の河合祐司先生には、ロボット工学者として、われわれ人文学者の不躾な意見を聞いていただく機会を何度も設けていただいた。

同領域「マルチ・スピーシーズ社会における法的責任分配原理」の研究代表者である京都大学大学院法学研究科准教授の稲谷龍彦先生には、法学における人文学的観点の重さを常時示唆していただき、われわれの研究活動を大いに鼓舞してくださった。

学芸みらい社社長の小島直人氏には、本書刊行にあたってさまざまな積極的提案をいただいた。コロナ禍の混乱の中でも、本書の計画が出版まで到達できたのは、氏の力によるところが大きい。

最後に、東京女子大学（他）非常勤講師の清塚明朗氏と、編者の妻である松浦佳代氏は、事務手続きから本書に関するコメントに至るまで、粗放な編者をさまざまな面で支援してくれた。この場を借りて深く感謝したい。

２０２１年１月　松浦和也

◆本書の刊行は、科学技術振興機構（ＪＳＴ）社会科学技術開発センター（ＲＩＳＴＥＸ）人と情報のエコシステム領域（ＨＩＴＥ）研究開発プロジェクト「自律機械と市民をつなぐ責任概念の策定」（ＪＰＭＪＲＸ１７Ｈ３）の受託研究費に拠っている。また、刊行に纏わる諸経費の一部として、東洋大学国際哲学研究センター・東洋大学重点研究推進プログラム「22世紀の世界哲学構築にむけて」からの支援を受けた。

[編著者紹介]

松浦和也（まつうら・かずや）

1978年、大阪府生まれ。東京大学文学部卒業、東京大学大学院人文社会系研究科修了。博士（文学）。東京大学大学院人文社会系研究科助教、秀明大学学校教師学部専任講師を経て、2018年より東洋大学文学部哲学科准教授。

専門はギリシア哲学。主要業績に『アリストテレスの時空論』（知泉書館）、『世界哲学史1——古代1 知恵から愛知へ』（筑摩書房：第6章「古代ギリシアの詩から哲学へ」）、『iHuman——AI時代の有機体-人間-機械』（学芸みらい社：第7章「労働力としての人工知能」）がある。また、国立研究開発法人科学技術振興機構（JST）社会技術研究開発センター（RISTEX）「人と情報のエコシステム」（HITE）研究領域において、「高度情報社会における責任概念の策定」（企画調査・2016年度）、「自律機械と市民をつなぐ責任概念の策定」（研究開発プロジェクト・2017～2020年度）の研究代表者を務め、哲学的考察を媒介にして、科学技術と市民、社会を円滑に結びつけるための研究開発活動を行っている。

ロボットを
ソーシャル化する

「人新世の人文学」10の論点

2021年1月25日　初版発行

編著者　松浦和也（まつうらかずや）

発行者　小島直人

発行所　株式会社 学芸みらい社
〒162-0833 東京都新宿区箪笥町31 箪笥町SKビル3F
電話番号：03-5227-1266
FAX番号：03-5227-1267
HP：http://www.gakugeimirai.jp/
E-mail：info@gakugeimirai.jp

印刷所・製本所　藤原印刷株式会社

ブックデザイン　吉久隆志・古川美佐（エディプレッション）

ISBN978-4-909783-63-9 C0010